Voir en fin de volume la liste des ouvrages du même auteur.

AUGUSTE le BRETON

LES ANTIGANGS

L'AS
et
LES TERRORISTES

PLON

© Auguste le Breton, 1978

ISBN : 2 - 259 - 00346 - X

CHAPITRE PREMIER

Lorsqu'on n'a pas connu dans son univers un blessé par balle, on croit que c'est toujours sérieux, souvent mortel. Du moins dans le crâne du tout venant. Or, s'il n'y a rien de gravement touché dans les organes, c'est pas si terrible. Pour preuve Paul Bontemps. La balle que lui avait tirée des semaines auparavant Louis le Cycliste (1) se gommait déjà du souvenir. Bien sûr, il y avait les cicatrices de l'opération ! Et bien sûr, la dragée lui avait laissé deux points rosâtres sur le lard : celui de l'entrée et celui de la sortie. Mais, là encore, ça s'effaçait, s'effacerait encore plus. Question de temps.

En survêtement d'un bleu rappelant ses prunelles, le chef opérationnel des Antigangs courait le long de la mer glauque. Sous ses pieds nus, le sable mouillé s'enfonçait puis se relevait comme aspiré, refoulant des flaques d'eau. Le fameux policier haletait et une bonne suée sourdait de la toison

(1) L'As et l'Ennemi Public.

blonde ornant sa poitrine puissante. Combien avait-il moulu de kilomètres ? C'est que la plage de Lingreville s'étendait loin ! On aurait même pu y rouler en voiture si ça avait été permis. Certains loustics l'avaient fait. Dire sa largeur, sa longueur... Parvenu en face de la trouée qui, entre les dunes, menait à la route et à la place où se garaient les bagnoles des baigneurs, il cessa son footing et s'en vint lentement en expirant profondément. Il se sentait aux œufs. A travers son blouson à la fermeture Eclair abaissée, le soleil frappait gaiement la vieille croix d'or pendant de son cou, héritage de sa mère morte. En ce commencement d'août, les vacanciers étaient nombreux mais peu le reconnaissaient. Les autres, ceux du cru, lui décochaient un regard amical, c'était tout. Il était leur gloire et ils savaient qu'il appréciait l'incognito, le calme, qu'il était là pour récupérer. Tout en marchant il sentait la force revenue dans ses jambes comme dans ses cuisses. C'est qu'à la suite de l'opération, la chair de ses mollets avait drôlement fondu ! « Des moltogommes de coq quoi », blaguait-il à tante Fifi (1) qui se lamentait de le voir faiblard. Heureusement, après une rééducation acharnée, il était de nouveau en forme. Et où aurait-il pu mieux se refaire la cerise que dans son fief ? Que là où il était né ? Le coup de l'air natal pour se retaper c'est fait pour. Ça requinque. Depuis trois

(1) Les Antigangs 1.2.3.

semaines il n'avait fait que dormir, courir, marcher, nager. Quant à la bagatelle, lui, plutôt amateur de la bricole... tout juste s'il avait soulevé le jupon d'une jolie naïade, levée au baratin. Jupon ? Disons qu'il lui avait ôté son minuscule slip de bain dans le creux d'une dune, leurs ébats protégés par les chardons épineux et les mouettes qui voletaient bas, à leur raser les fesses. Mais en plus du programme, il avait aussi mangé, bien entendu. A la ferme, tante Fifi s'était chargée de ce problème. En championne. En Bocuse femelle. Ce qu'elle ne lui mijotait pas à son neveu complice ! Que lui qui lui apportait encore de quoi saler son existence. Aussi, si elle le dorlotait, le couvait, s'en inquiétait...

Avant de rejoindre la BMW neuve qu'il étrennait, Bontemps refit face à la mer et la contempla. Elle était son enfance, son adolescence. Ce qu'il aimait ce lieu sauvage et désert ! Il l'avait parcouru, y avait pêché, culbuté ses premières filles : des jeunes culsterreuses de Briqueville, de Herqueville ou de Regnéville. Là, qu'il s'était fait les biceps avec les troncs d'arbres déposés au ras des dunes par les grandes marées. Ces troncs, ces débris venus d'où ? Et que la grondante avait lissés, lissés et blanchis. Eté et hiver, il s'était roulé dans les vagues. Eté et hiver il s'était saoulé de l'air puissant et brutal à goût d'iode.

Il n'entendit pas ou ne s'intéressa pas à une pétarade de moteur qui décroissait derrière lui. Ces bruits étaient devenus si fami-

liers à cette époque. Jadis évidemment...
avant que les vacanciers ne découvrent et ne se
ruent vers ce coin béni... Paupières à demi
closes, s'offrant à la brise saline et au soleil,
il laissait rêveusement errer son regard sur
l'eau verte que creusait une houle ample et
lascive. Il perçut le bruit d'un pas mais ne se
retourna pas. Il ne le fit qu'en reconnaissant
la voix de Patrick Lemaître.

— Bonjour patron. Tante Fifi m'a dit que
je vous trouverais là.

L'œil de Bontemps s'égaya devant le jeune
inspecteur en tenue de motard : cuir, casque et lunettes pendantes, le tout poussié-
reux.

— ... lut Pat. On ne t'attendait que demain.

Le grand policier étreignit la main tendue.
Avec chaleur. Il avait le commissaire à la
bonne.

— Oui, mais vu que la môme que je bricole en ce moment se barrait en vacances
chez ses parents ce matin, j'ai pensé...

— Tu as bien fait, coupa Bontemps.

Puis, s'étonnant en inspectant autour de
lui et en désignant la panière fixée à l'arrière
de la Honda mastodonte :

— Mais... et Fripouille ?

— Votre tante a tenu à ce que je le lui
laisse. Elle m'a parié qu'il allait faire copain
avec son chat Tino Rossi.

Patrick Lemaître gloussa :

— Vous y croyez vous, patron, à la paix
entre chien et chat ?

Puis sourire gommé et sans transition, d'un ton inquiet :

— Ça va patron ? Je veux dire...

— Ça va, se contenta d'interrompre Bontemps un peu sèchement.

De nouveau, il fixait la mer. Patrick Lemaître retint un soupir. Il n'en saurait pas plus. Déjà, à la ferme, tante Fifi lui avait appris que le commissaire ne parlait plus de sa blessure. Par pudeur ? Indifférence ? Non, se dit le grand inspecteur. Mais, le patron est un dur. Un dur de dur. Pour lui, cette balle n'était qu'un incident professionnel. Et c'était sciemment qu'il l'avait dégustée. Pour sauver des vies d'enfants (1). Comme pour prévenir toute nouvelle question du même ordre, le commissaire tendit le bras vers l'eau qui montait avec la marée et vers laquelle se ruaient dans des cris de bonheur, enfants et adultes.

— C'est ici que je pêchais, Pat. A ras des pêcheries. Tu ne peux pas les voir en ce moment, car l'eau les recouvre. Mais à marée basse, aux équinoxes surtout... Quand elle se retire loin, loin. Je soulevais les pierres qui renforcent les longues branches reliées en fagots enfoncées profond dans le sable. Et là... si tu avais vu ça ! Congres... bouquets énormes... homards, parfois. Et, aux alentours à la fouine, alors ! Plies, soles, carrelets...

Du coin de l'œil Pat lorgna son patron qui, transfiguré, poursuivait :

_____

(1) L'As et l'Ennemi Public.

— Ah ! Pat, ces pêches en ce temps-là ! Et ce qu'on récoltait comme moules ! Et les coques de genêt donc ! Et le soir en rentrant, tout ça cuit dans l'eau de mer ! Et dévoré avec du pain et du beurre ! Un festin.

Bontemps fit claquer sa langue.

— Et par là-dessus un bon coup de cidre bouchi !

Il prononçait bouchi pour bouché, retrouvant les expressions de son terroir. Le grand Pat se mit à saliver alors que le caïd des Antigangs, loin dans ses souvenirs, enchaînait, balayant les lieux d'un geste ample, admiratif et généreux.

— Et les crabes, Pat ! Des énormes. On les trouvait au large, en cassant des rochers poreux. Et y en avait ! y en avait ! T'as pas idée. Alors que maintenant...

Le bras de Bontemps s'abaissa, son regard cessa de luire.

— ... maintenant tout cela est fini. Kapout. Mort. Détruit.

Il ramena son attention sur son inspecteur qu'il invitait quand l'occasion s'offrait car il le savait célibataire et sans famille.

— C'est une autre époque, Pat. Une qui laissera à la nouvelle génération moins de regrets qu'à la nôtre. Mon avis en tout cas.

Puis, s'avisant qu'il ignorait ce détail :

— Toi, t'as grandi, où ?

— A Paname. Porte de Clichy. Où je suis né.

Il y avait également une pointe de nostalgie dans la voix du jeune policier. Mais elle était d'un autre ordre. C'était celle de la rue. Celle des copains. Des nanas faciles et complices. Pat n'avait pas vingt-cinq hivers, mais en savait des choses. Ces choses qu'on n'apprend que sur le pavé des grandes villes. Par exemple, qu'il y a peu de millimètres pour séparer le Bon chemin du Mauvais. Le Mauvais, lui, il avait failli le prendre. Il s'en était fallu d'un éternuement. D'un réveil qui avait oublié de tinter. Et aussi, des bras trop tendres d'une jolie gosse comblée par sa furia nocturne. Pour trois autres des copains de la bande de Clichy, le réveil avait lancé ses trilles. Et ils avaient décidé d'opérer sans Pat. Un braquage minable, tenté par des minables. Et tous trois s'étaient fait nouer une cravate par la maison Poulardin, en décarrant en hâte d'une agence du Crédit Lyonnais. Une histoire con à pleurer. Et une déveine ! Mais alors une déveine ! Un car de poulets qui passait en ronde et qui... De ce jour que le destin du grand Pat avait bifurqué. Il avait bossé, bossé et pris ses distances avec les gars. Sans les renier totalement pourtant. Après tout, ils avaient tété du même sirop d'asphalte. Mais lui, aidé par la trouille des barreaux, avait su choisir entre le Bon et le Mauvais, entre le Bien et le Mal, entre les Traqueurs et les Traqués. Et maintenant, il était de l'autre bord, de ceux qui traquent et embastillent. Parfois, vu qu'il n'avait pas changé de secteur, il se cognait dans un de ses anciens potes qui lui jetait :

— Ça va, Pat ?

— Ça va, ça va. Et toi ?

— Mezigue ça va. Alors, pas encore marre d'être poulet ?

— Et toi. Pas encore marre d'être gangster ?

Et ils se quittaient, un petit sourire de regret aux lèvres entre lesquelles les dents commençaient à paumer un peu de la solidité de l'adolescence.

Le grand Pat consulta Bontemps qui s'étirait.

— J'ai le temps de me dépoussiérer ou bien...

Il indiquait la mer qui progressait vers eux lentement, inexorablement, sûre de sa puissance millénaire.

— Tu peux si t'as un slip, approuva Bontemps. Moi, je file en avant. Avec ton engin tu me rattraperas sûrement. De toute façon tu connais le chemin.

Et pivotant, il marcha vers sa BMW neuve, dont la carrosserie grenat faisait froncer le nez de tante Fifi. Elle aurait voulu du bleu, elle.

« Bleu, comme tes yeux, disait-elle toujours. Du bleu, Paul. Prends toujours du bleu. » Mais il n'écoutait pas, n'en faisait qu'à son envie.

Peu après, au volant, il traversait le bourg de Lingreville. Il jeta le regard sur la vieille église dressée depuis des siècles au fond de la place. Là, qu'il venait prier enfant. Là, qu'il avait communié pour la première fois. C'était pas si loin, somme toute. Et Cependant, il y avait encore des paysans qui s'en venaient en carriole, traînée par de robustes canassons de labour. Mais, le tout astiqué, rutilant, fallait voir ! Eux, s'astiquaient itou, se mettaient beaux. Ils arboraient le complet noir acheté à St-Lô, la chemise blanche dont le col leur cisaillait le cou, la cravate noire, un rien de travers et de grosses et robustes chaussures bien cirées que le fumier avait au départ légèrement souillées dans les cours de fermes. Leurs femmes, elles, bien droites et bien dignes portaient encore, les âgées du moins, la coiffe blanche et le fichu de laine sur le corsage coloré. Et, la majorité d'entre elles avaient rangé au fond de la carriole le panier en jonc tressé, empli de bon manger pour le pique-nique. Pique-nique ? Ce mot, s'ils l'avaient connu, les aurait bien fait rire ! Et si en douce les mâles tâchaient d'esquiver l'office du dimanche en bifurquant vers le cabaret, elles rejoignaient les prie-Dieu à leur nom, près de la chaire, d'où le curé les admonestait et aussi les avertissait tous et toutes, avant la quête :

« Aujourd'hui, je ne veux pas entendre de bruit. J'exige une quête silencieuse. »

Les caïds, alors, les curetons ! Ils tenaient leurs ouailles bien en pogne, les faisaient cracher au bassinet, les menaçaient de Lucifer. Sans compter les offrandes, ils récoltaient aussi lard et jambons, poulets et mottes de beurre. Ces belles mottes dispa-

rues, celles qui s'enveloppaient de feuilles de
choux humides. Du révolu. La messe achevée, beaucoup s'en allaient à la plage dans le
bruit joyeux des grelots fixés aux colliers des
chevaux. Et là, souliers et chaussettes ôtés,
hommes et femmes, dos aux dunes, encadraient les serviettes immaculées, étalées
sur le sable et taillaient, couteau au poing,
dans les victuailles apportées. Aucun d'eux
ne se baignait. Jamais. Ils se contentaient
d'une petite trempette, du bout de l'orteil.
Cela, dans des éclats de rire et des glousse-
ments de bonheur. Même leurs rejetons ne se
hasardaient guère dans la grande glauque,
parfois bleutée. Dressés pour, ils ne son-
geaient qu'à la terre, à faire valoir. Cette
bonne terre grasse de la Manche, où l'herbe
drue engraisse les bœufs et nourrit les laitiè-
res.

Par la petite route étroite et goudronnée
que bordaient prés, arbres et buissons, Paul
Bontemps regagna la Châtaigneraie, la
ferme nourricière. Là, qu'il était né, avait
grandi. Des pieux de ciment peints de blanc
et du barbelé bien tendu délimitaient ses
180 hectares où paissaient les troupeaux. Un
chemin entretenu et empierré guidait les
gens de la route aux bâtiments vénérables,
disposés en carré. Tout était net, propre et
sentait l'entretien, le travail, l'efficacité. La
cour était vaste et, dans son fond, adossé à
un pré où trottinait un cheval déjà bien
vieux, devenu inutile mais gardé par fidélité
à son labeur passé, du fumier dans une fosse

offrait son menu à une multitude de volail-
les. A peine descendu de sa BMW, Bontemps
fut assailli par Fripouille qui aboyait de
bonheur. En tablier noir, tante Fifi, des
journaux et des lunettes près d'elle sur un
tabouret de paille, assise contre le mur de la
cuisine, un journal en chapeau de gendarme
sur la tête, releva celle-ci des haricots verts
qu'elle épluchait au-dessus du creux formé
par ses cuisses. Dans son dos, dédaignant
majestueusement Fripouille, Tino Rossi, le
mistigri, fainéantait, étalé, en plein soleil,
sur le rebord d'une fenêtre.

— Eh ben, ma gamin ? T'as ti vu Patrick ?

— Il est resté à se baigner, jeta-t-il.
Qu'est-ce qu'on mange, ce soir ?

Une main pleine de haricots se tendit vers
deux poules suspendues par les pattes à un
clou planté dans le montant d'une grange.
De leur cou, tombaient des gouttes écar-
lates.

— Poule à la crème, et haricots verts.

Il hocha la tête et, suivi par Fripouille,
se dirigea vers le cellier. Celui-ci était
sombre et mystérieux. Il alla à un tonneau,
prit une moque accrochée à un clou, l'emplit
de cidre et but avec avidité. Le cidre bien
frais était âpre au goût. Du vrai pur jus de
Normand pas pour la goule des Parisiens qui
eux préféraient le cidre bouché. Le bouchi
comme ils disaient par ici. Il se baissa de
nouveau et le robinet glouglouta encore. Il
avait soif. Il but, plus lentement cette fois et

Fripouille, assis sur son cul, l'observait, l'œil approbateur et malin. Bontemps égoutta la tasse vide d'un coup de poignet et il la suspendait lorsque le ronflement de la Honda explosa dans le chaud soleil d'août. Bontemps revint dans la cour. Patrick Lemaître accotait son énorme engin mécanique près du vieux et majestueux tilleul qui ornait l'un des angles de la cour et donnait de l'ombre et de la fraîcheur au cellier. Il portait son casque accroché à son bras et ses cheveux étaient encore mouillés par la mer. Il rejoignit Bontemps qui avait raflé la *Manche Libre* et l'*Ouest France* du jour et y jetait un coup d'œil. Pat, que Fripouille agressait aux jambes, sourit à tante Fifi.

— Voulez que je vous aide ?

La vieille personne, nette du chignon à ses bas noirs bien tirés selon son habitude, refusa, en gloussant :

— Laissez ça aux vieilles dames ! Vous ne devez pas y connaître grand-chose.

Elle suivit de son regard d'un bleu plus tendre que celui de son neveu, la silhouette de Guy Lehideux, le commis des Poirier, le couple qui drivait leur ferme. Le garçon, un robuste d'une trentaine d'années, traversait un pré, une hache sur l'épaule. Elle faillit crier, s'inquiéter de ce qu'il allait fabriquer par là, puis se contint. Ce n'était plus elle qui dirigeait pour l'heure. Elle se contenta de soupirer en s'apercevant que son neveu lisait les nouvelles.

— T'as vu ma gamin ? Ils racontent que le

terroriste là... çui que t'as arrêté... reste une menace pour la tranquillité publique même en prison. Ils disent — je veux dire les journaux...

Son neveu la coupa en hochant la tête.

— Il ne faut pas prendre tout à la lettre, Fifi ! Tu sais les journaux...

Puis vers Pat qui s'approchait, un goût de sel aux lèvres :

— Ils parlent encore de menaces que les autorités auraient reçues, si on ne libère pas ce Pablo dans les 48 heures. Et cela sans condition.

— Bof, fit le grand inspecteur, relaxe comme toujours. Au sujet de ce Pablo, ça fait des mois que l'Intérieur et la Préfecture reçoivent des menaces. Alors...

— C'est vrai, remarqua Bontemps. Depuis sa condamnation à mort, ça n'a pas cessé. Et ça avait même commencé avant dans la presse. Tu te souviens des articles du début ? Ils ne manquaient pas de virulence.

Il les avait mis de côté, ou plutôt tante Fifi les avait découpés et rangés. Sa manie. Son plaisir, plutôt, de conserver les papiers où l'on faisait allusion à son neveu. Et, vu que c'était lui et sa brigade qui avaient ceinturé Pablo, un Cubain, mais l'était-il ? qui passait pour être le chef du terrorisme international... La Lutte pour la Libération de L'homme que s'intitulait l'organisme en question. Le « LLL », ou les trois L, comme avaient fini par transposer dans leurs papelards, les journalistes toujours riches d'à-propos. A ce Pablo, on imputait mille attentats, mille destructions, mille morts avec en plus détournements d'avions, prises et exécutions d'hommes politiques et financiers, sabotages d'usines, tueries lors de réunions sportives etc. Un fou. Un illuminé, affirmaient certains psychiatres. Cinglé, c'était à voir. Bontemps qui l'avait questionné et questionné avait surtout l'impression d'avoir découvert un fauve, implacable qui, sous le couvert d'idéalisme, de chambardement de société, assassinait et brûlait. Mais, après tout, peut-être était-il sincère ! Comment juger, déceler, trancher dans l'âme d'un homme ? L'époque était riche en desperados, en ambitieux et en utopiques. Dans quelle classe situer le Pablo ? Sombre de peau et de poil, trapu, coriace et gonflé, blessé au cours de son arrestation à Orly, il n'avait pas calé, pas dit un mot lors des épuisants interrogatoires. Il méprisait. Bonne attitude, somme toute. Sauf, après, bien après, où il l'avait enfin ouverte. Mais là pour insulter, vouer aux enfers le capitalisme, les flics et les puissants du monde. Dans sa diatribe virulente, seuls les Bridés avaient été épargnés. De là, à en déduire qu'il était maoïste... Ce qu'avaient supputé d'autorité les journaux. C'était à la suite d'un tuyau sur le rencard d'un traître anonyme qu'il avait été capturé. Les fameux Renseignements Généraux avaient d'abord été à la base de la réussite. Puis, ils avaient répercuté au BRI (1). Ceux-ci, Bontemps en tête, avaient intercepté Pablo qu'accompagnaient trois porte-flingues. Deux de ceux-ci étaient morts, abattus, l'un par Toussaint Barani, l'autre par un des CRS mobilisés pour empêcher le détournement d'un Boeing 707. Quant au troisième, il avait été lui, dirigé sur Fresnes. Et lui aussi avait été condamné à mort. Et lui aussi avait espéré en une grâce présidentielle. Puis subitement, il n'avait plus eu d'espérance. Pour cause. On l'avait découvert pendu dans sa cellule. Quel ramdam dans la presse à la suite de ce suicide ! Les gauchos avaient laissé entendre que plus que probablement l'homme avait été aidé, poussé... que les gaffes avaient dû lui tresser une corde pour se cravater le col... que... que... Le truc habituel quoi. Le suicide forcé. Où était la vérité ? Qui la détenait ? En tout cas, à ce Pablo, on n'y touchait pas. On le veillait, le couvait. Les responsables de sa sécurité n'avaient pas envie de voir se lever des boucliers de soupçons ni d'essuyer le crachat des opprobres.

Pat, qui, une Camel aux lèvres, observait Bontemps, s'informa :

— Vous croyez qu'ils oseront exécuter ce Pablo ?

Bontemps acheva de jeter un coup d'œil sur les journaux avant de répondre.

— Pas certain. Du monde entier parvien-

(1) Brigade de Recherche et d'Intervention. Appellation officielle des Antigangs.

nent des messages réclamant la grâce. Et
puis ce n'est pas du droit commun mais du
politique. Aussi...

— Tu devrais aller quérir le dossier de ce
Pablo, l'interrompit tante Fifi. Je vais dé-
couper ces articles et les ranger avec les autres.

Bontemps se tourna vers elle. Il lui sourit
et pénétra dans la cuisine vaste et vénérable
où des générations de Bontemps avaient
vécu, pris leurs repas. Sur l'un des rebords
intérieurs de la fenêtre, large et profond ce
qui soulignait l'épaisseur des murs, il prit
l'une des chemises sur laquelle Fifi avait
inscrit de son écriture équilibrée : P A-
B L O. L'intérieur était bourré d'articles
découpés et rangés par date de parution. Il
les feuilleta tout en retournant au soleil.

France-Soir du 16 avril titrait :

Condamné à mort par les Assises de la Seine
celui qui passe pour être le chef de l'Interna-
tionale terroriste sera-t-il exécuté ?

Quant au *Figaro*... *Pablo le Cubain*
condamné à mort. Le président de la Républi-
que usera-t-il de son droit de grâce pour épar-
gner celui à qui on impute des dizaines d'at-
tentats sanglants dans les diverses parties du
monde ?

L'énigmatique Pablo, à l'identité réelle
pas encore bien établie, et qui s'est fait ar-
rêter à Orly lors d'une tentative de détour-
nement d'avion verra-t-il commuer sa peine en
détention perpétuelle ?

Et *Le Monde* lui : *Les menaces continuent à*

pleuvoir dans les ministères et les salles de rédaction. Signées du sigle L L L, elles exigent la libération sans condition de Pablo avant le 11 août 1977. Dans le cas contraire, le 3 L frappera et le monde entier tremblera.

Paul Bontemps, immobile sur le seuil à la pierre creusée en son milieu par les milliers et milliers de pas de ceux de sa race, souleva un feuillet et découvrit un article du *Parisien Libéré* :

Il faut en finir avec le terrorisme. L'opinion publique en son ensemble est contre la grâce présidentielle.

Et plus loin, *L'Aurore*, à la date du 9 août, donc de l'avant-veille :

Dernier ultimatum du Terrorisme international pour la libération immédiate de Pablo le Cubain. Une missive serait parvenue à l'Elysée qui, nous croyons savoir, dirait entre autres : « *Vous n'avez plus que deux jours. Après, vous endosserez la responsabilité du drame que vous aurez déclenché par votre intransigeance bourgeoise.* » *et qui serait signée du sigle qui prête à rire : LLL.*

Bontemps ferma la chemise, la posa sur le rebord de la fenêtre où se prélassait Tino Rossi. Il y adjoignit les deux quotidiens régionaux du jour.

— Pourquoi que t'emmènerais pas Pat poser des verveux avec toi ? lui conseilla tante Fifi alors qu'il la frôlait. Vous avez largement le temps avant le souper. Il n'est pas sept heures.

Le commissaire contint un sourire. Elle

avait dit souper pour dîner, selon la vieille
formule. Il aimait entendre ces mots fami-
liers et simples, venant du passé.

— Ma foi, approuva-t-il. Quoique ce soit
défendu à présent...

Un rire heureux le secoua.

— Viens Pat. On va braconner. Et aussi
tendre des lignes de fond.

— Braconner ? sourcilla comiquement le
grand policier.

— Oui, oui, déclara Bontemps. On va poser des nasses au fond de la Sienne dans un
coin où vont rarement les gardes-pêche.

— Manquerait plus qu'on se fasse coller
un procès-verbal ! gloussa le grand flic en
enlevant son blouson de cuir. Mais vous me
laissez me changer avant, oui ? j'étouffe là-
dedans !

La main de Bontemps indiqua une fenêtre
du rez-de-chaussée aux volets clos pour bar-
rer la route aux rayons.

— Tu connais ta chambre. Rejoins-moi
ensuite. On va retourner le fumier pour
chercher des vers.

Et alors que, suivi de Fripouille, Patrick
pénétrait directement dans sa chambre par
une porte peinte en gris, son patron se rendit
dans le cellier pour vérifier ses lignes de
fond et préparer ses verveux.

CHAPITRE II

Julien Vergnaud se leva de son bureau en s'étirant. Dépliée, sa taille dépassait 1,80 m. Il était blond, pâle de teint, mince, nerveux et chef de service dans une grosse boîte d'informatique. Sans rabattre ses manches de chemise retroussées sur des bras aux muscles allongés et secs, il récupéra son veston pied-de-poule jeté sur un fauteuil et pénétra chez sa secrétaire.

— Mademoiselle, je pars et ne viendrai pas demain. Transmettez les communications me concernant à M. Baletta. Le directeur est d'accord. A lundi.

Suzie, la secrétaire, abaissa un front approbateur, mais il s'éloignait déjà. Elle suivit la haute silhouette sportive de l'œil et lança :

— A lundi, monsieur Julien.

Elle avait mis un soupçon de sensualité dans sa voix. C'est qu'il était du genre beau gars avec ses yeux bleus froids et mobiles, ses joues maigres, son menton lourd. En plus, il était célibataire et avait un bon

poste. Mais il ne se retourna pas sur son au
revoir. Elle alla refermer la porte de sépara-
tion qu'il avait laissée ouverte et son attention accrocha machinalement les nombreux
trophées et diplômes décorant le panneau du
fond : récompenses obtenues dans des
concours de tirs. Julien Vergnaud passait
pour un tireur d'élite aux yeux du personnel
de la boîte. Et surtout à ceux du directeur
qui pour ses exploits lui laissait la bride sur
l'encolure. C'est qu'il faisait honneur à l'établissement, en un sens, avec ses victoires au
fusil et au pistolet ! Suzie, pour sa part, lui
aurait bien graissé ses armes. Et autre chose
aussi. Mais ça semblait rester dans le rêve,
vu l'indifférence qu'il lui montrait. Elle lâcha un soupir, referma et revint vers ses té-
léphones qui sonnaient tous à la fois. Quelle
vie !

*
* *

Le sommet de grands peupliers, quoique
plantés un peu loin d'eux, posait un rien
d'ombre sur le court de tennis. Heureusement ! Car le soleil cognait fort. Pourtant il
n'était plus à son zénith depuis des heures.
En sueur, Christian Marquette était au service. Il rata sa première balle, redoubla, rata
encore.

— Jeu ! cria sa jeune femme de l'autre
côté du filet en sautant de contentement.

Elle était jolie, des cheveux auburn taillés
au ras de la nuque cernaient son visage en

forme de cœur. Il s'en vint vers elle après avoir raflé une serviette-éponge posée sur un tabouret. Il lui souriait mais son regard était comme absent.

— Tu es meilleur au tir qu'au tennis ! lui décocha-t-elle joyeuse. Trois fois que je te bats cette semaine.

Il opina et ils quittèrent le court, enlacés et amoureux, pour se diriger vers un berceau qu'une nurse surveillait. C'était une personne bleue, blonde et rose, assise à l'ombre d'un des nombreux chênes de l'immense propriété qui s'étalait à vingt kilomètres de Tours. Ils se penchèrent sur le bébé qui était leur passion, puis lui, se redressa le premier.

— Je te laisse chérie. Il me faut faire ma valise. Je pars dans une heure.

— Tu reviendras vite, hein ? souffla-t-elle sans quitter du regard son enfant endormi.

Il serra son épaule, mince et fragile, où souvent il en cherchait le creux pour y poser sa tête trop pleine d'idées.

— Promis. Le temps de discuter ce contrat avec les Danois et...

— Ça ne fait rien, ton père aurait pu t'éviter ce déplacement !

— Il n'est pas au courant, dit-il. Il s'agit d'un contact que j'ai noué seul. Inutile de lui en parler. Ça peut échouer.

Sur l'épaule dont il palpait les jointures, sa pression s'accusa.

— Allez chérie, à demain. Et que monsieur écoute bien sa maman. Ou sinon gare !

Il avait l'index pointé sur le berceau. Elle

prit la main qui lui tenait l'épaule et se redressa, amoureuse et comblée par le luxe,
son enfant, son mari, le bonheur.

— Je t'accompagne pour vérifier ta valise,
murmura-t-elle. J'ai...

Elle ne termina pas sa phrase. Ce qu'elle
voulait, ils le savaient tous deux. Ses yeux
luisants posés sur son visage parlaient pour
elle, disaient son envie de faire l'amour. Il
l'attirait. Pourtant, si elle était jolie, lui
n'était guère séduisant. Jeune, 26 ans, il
était fluet, maigrelet même et ses cheveux
châtains lui libéraient déjà les tempes. Mais,
il possédait des yeux gris, profonds, magné-
tiques qui la troublait. Et quoique fils et
bras droit d'un puissant fabricant de conserves, il laissait parfois percer son goût pour
les progrès sociaux ce qui la ravissait et le
rendait humaniste à ses yeux. Il lui enlaça la
taille, taquina :

— Tu crois que j'aurai le temps de...

— Pour ces choses on a toujours le temps,
monsieur ! fit-elle en fronçant comiquement
son nez.

Il s'esclaffa doucement en l'entraînant
vers l'imposante bâtisse, rappelant une gen-
tilhommière du XVIIIe siècle. Mais la gaieté
n'était pas dans son regard, toujours lointain
et pensif.

*
* *

Maniéré, efféminé, un rien précieux, Patrice Voubié vérifiait de ses doigts manucu-

rés les ondulations naturelles de sa cliente.
Pour mieux voir, il ramenait les cheveux en
casque et en vérifiait l'effet dans le miroir
fixé devant eux. Il se courba sur le long cou
blanc de la dame, une riche marchande de
tissus de cet arrondissement lyonnais où il
possédait son salon.

— Vous êtes ravissante ainsi.

Elle minauda. Elles minaudaient toutes
sous les compliments qu'elles semblaient
repousser, alors qu'elles étaient prêtes à lui
crever les yeux s'il oubliait de leur en faire.

— Vous trouvez Patrice ! Pourtant il me
semble...

Mais elle était ravie et en rougissait de
joie. Il fit cliqueter ses ciseaux autour de son
cou et flatta :

— Je vous veux belle à cette soirée. Qu'on
sache que c'est Patrice qui vous a coiffée. Je
veux que vous les éclipsiez toutes.

Elle gloussa sans cesser de se mirer. Il
poursuivit :

— Et que vos amies en crèvent de jalou-
sie.

Cette fois, le gloussement se transforma en
un rire cascadeur. Il patienta, attendit
qu'elle se calme, avant de cisailler quelques
mèches baladeuses. Puis, ciseaux rangés, il
lui souleva de nouveau les cheveux dans ses
paumes en conques.

— Décidément, souffla-t-il comme pour
lui-même.

Elle s'alarma aussitôt.

— Qu'y a-t-il Patrice ? Est-ce que...

Il secoua la tête et une boucle de ses cheveux blond foncé oscilla. Il avait décidé d'en rajouter.

— Vous êtes plus que ravissante, ma chère.

Dans le miroir, il l'étudiait hypocritement de ses yeux d'un bleu pervenche qui allait avec son teint frais, ses joues rondes.

— Vous êtes divine. Tout bonnement.

Voilà, il avait lâché le compliment. Un peu lourd mais tant pis. Autant pimenter la sauce. Et, pour ce genre de cuisine, il ne craignait pas les confrères. Elle minauda encore :

— Flatteur. Vous le pensez vraiment ?

Il estima que répondre était se déprécier. Il virevolta autour de sa personne replète en jouant d'un vaporisateur de luxe. Il dépassait à peine le mètre soixante, était rondouillard mais souple, mais décidé. Orphelin d'un anarchiste connu et disparu, tué par les flics, il s'était bâti un salon de coiffure pour dames, l'avait rendu célèbre. Il y traitait les grandes bourgeoises de la ville et les minettes aisées. Là stoppait son contact avec le beau sexe. Il préférait l'autre : celui à braguette. Son droit. Tout en se reculant pour mieux feindre d'admirer son œuvre, son regard tendre, qui pouvait atteindre des reflets implacables et perçants, enregistra une date sur le calendrier bordé d'or : 11 août. Il allait falloir qu'il parte à 18 heures pour être à pied d'œuvre le lendemain à Dinard. Pour ses clientes pas de problème. Le lendemain,

vendredi 12, son bras droit, Maurice, s'oc-
cuperait des pratiques et de ses rendez-vous,
aidé par Jacques le nouveau, un tout jeune
qui promettait. Il nota que Josée, la manu-
cure, en avait fini également et revint à sa
riche commerçante.

— Je pense que vous m'écouterez, ser-
monna-t-il. Et que vous mettrez ce soir
cette robe de chez Louis Féraud que vous
m'avez montrée lundi ?

— Vous songez à celle en mousseline sati-
née avec les empiècements ? La rose thé ?

— La rose thé, oui ma chère. En vous coif-
fant, j'ai pensé à cette robe. A elle seule.

— Eh, fit-elle hésitante. J'avais envisagé
un ensemble de Jean-Louis Scherrer et...

— Teut... teut, gourmanda-t-il. Voyons ma
chère.

Et, penché de nouveau, il lui souleva les
cheveux, dégageant la nuque.

— Avec cette robe mousseline décolletée
en carré, ce joli cou va être en valeur. Une
valeur enrichie par la coupe. Non, non, ma
chère, croyez-moi. La mousseline, la mousseline... Sinon, je ne vous coiffe plus.

Et, il la lâcha.

— Entendu Patrice, accepta-t-elle, domp-
tée. Je la mettrai ce soir.

Ecartant les bras un peu dodus sous la
blouse de soie bleue qu'il portait, il prédit :

— Et vous obtiendrez du succès ! Un très
grand succès.

Puis, baisant le bout des doigts fraîche-
ment manucurés, il pivota ensuite vers le

siège voisin sur lequel une matrone de cent
kilos se laissait manipuler par Maurice, tout
en faisant des grâces de gazelle.

*
* *

Fidel Juarez, quoiqu'il y habitât depuis
six ans, n'avait pas pris l'accent de Bordeaux. Il avait conservé l'accent sud-
américain des siens, venus en France lorsqu'il n'avait que six mois. A vingt-sept ans,
il dirigeait l'une des plus belles librairies de
la ville héritée de ses parents disparus. Affable, courtois, ne se mêlant pas de politique,
serviable, il plaisait. Aux jolies dames surtout. Mais, il ne touchait jamais aux femmes
mariées pour éviter les salades. Sa grande
distraction était de partir en week-end avec
quatre, cinq copains, des fanas comme lui de
la moto. Et, comme lui, ils étaient d'origine
sud-américaine, d'Argentine et de l'Uruguay.
Une exception pourtant : Chi-Lu un bridé de
Formose. En complet strict et cravaté, Fidel
Juarez allait et venait dans son magasin
moderne, servant les clients, surveillant la
caissière et les deux jeunes employées. Il
n'utilisait que des femmes, jolies de préfé-
rence. Les clients mâles se laissaient mieux
convaincre dans l'achat de leurs livres
quand ceux-ci étaient vantés par de jolies
filles. Après avoir conseillé une cliente sur
un bouquin de Simenon *Lettre à ma mère*
qu'il considérait comme un beau livre, il se
dirigea vers Georgette, la caissière, qui avait

un bon de caisse à lui faire signer. Tout en s'exécutant de sa main droite où manquait, à la suite d'un accident de moto, le pouce et l'index, il expliqua :

— Vous ouvrirez pour moi demain matin, Georgette. Je suis obligé de m'absenter pour affaire. Mais, je serai de retour samedi.

Elle acquiesça. Elle était heureuse de la confiance qu'il lui marquait. Il pouvait. Elle ne le volait que par petites sommes. Des sommes ridicules, peu voyantes, qui ne pouvaient laisser de traces, mais qui lui permettaient, à elle, de s'offrir des babioles. La signature achevée, il lui rendit son stylo et s'avança empressé, vers un couple qui entrait furibond. Il voulut s'informer, n'en eut pas le temps.

— C'est un scandale de nous avoir vanté une telle cochonnerie ! fulminait l'homme en brandissant *Histoire d'O*.

— Quand on pense que cela aurait pu tomber sur nos enfants !

Fidel laissa passer la colère. Il connaissait les rouspéteurs, des grands bourgeois, pieux et bien considérés. Il y avait eu maldonne. Il lorgna du coin de l'œil Jeanne, l'une des vendeuses qui se tassait derrière son rayon. Mais, où était le crime ? Qui ne connaissait *Histoire d'O* ? S'ils l'avaient acheté c'est qu'ils tenaient à le lire ! Ils ne pouvaient pas ne pas en avoir entendu parler !... Il s'inclina, exhibant un sourire sur son visage basané où vivaient deux yeux verts qui, curieusement, selon ce qu'il portait pouvaient tirer sur le gris.

— Mais je vais vous le reprendre, chère madame, fit-il enjoué. Et je vous prie d'accepter nos excuses.

Rien qu'au toucher du livre rapporté, il sut qu'il avait été feuilleté et probablement lu de la première à la dernière ligne. Mais, baste... Il ne voulait pas d'histoires. Jamais d'histoires. Il possédait lui aussi bonne réputation, tenait à la conserver. Certains clients avaient de ces lubies ! D'acheter. De lire. Puis de revenir en criant qu'il y avait imposture, tromperie. Qu'importait ? Et, ils étaient tellement contents ensuite de croire qu'ils avaient dupé le commerçant, qu'ils se l'étaient mis en poche ! Le livre répugnant en main, il conduisit les mauvais coucheurs à Georgette pour qu'elle les rembourse. Puis, tout étant rentré dans la tranquillité, il leur fourgua le dernier *Petit Robert* et les raccompagna, calmés, jusqu'au seuil de sa belle boutique.

CHAPITRE III

Les avirons frappaient doucement l'eau miroitante et noire. La barque glissait entre les nénuphars et les joncs. Paul Bontemps la drivait. Un épais pull à col roulé, sous une vieille veste de parachutiste, lui moulait le torse. Et sur ses cheveux blonds il avait planté de guingois sa vieille casquette de para (1), son fétiche. Le bas du froc kaki qu'il portait, s'enfonçait dans des bottes marron en caoutchouc. En face de lui, sur l'autre banc, le grand Pat frissonnait légèrement dans les fringues trop grandes que lui avait prêtées le commissaire. C'est qu'il faisait un peu frisquet, ainsi que toujours avant l'aube. Et celle-ci était encore loin. Les deux hommes, Bontemps surtout, étaient animés par la passion de ceux qui vont relever un filet ou qui s'approchent d'un piège tendu de la veille. Ils étaient seuls, à part les vaches et les bœufs qu'ils devinaient évoluant lentement dans la brume des prés.

(1) Les Antigangs 1.2.3.

— Là ! souffla, Bontemps. Accroche la branche.

Vif, Patrick Lemaître obéit et se cramponna à la branche désignée qui surplombait la rivière. La barque pivota très lentement mais le grand policier ne lâcha pas prise.

— Tiens bon, recommanda tout de même Bontemps.

Le conseil était inutile. Ce n'était que des mots qu'on lâche en certaines circonstances. Comme parler à voix étouffée, contenue, était également superflu. Mais la faute en était à la nuit encore là... au lieu... à l'ambiance... et à cette espérance de surprendre le poisson pris au piège. C'était le commissaire qui, la veille à table, avait décidé de partir de très bonne heure en précisant, un rien maître d'école, au grand Pat peu convaincu :

— Les lignes de fond se relèvent très tôt. Avant l'aube. Sinon, le poisson pris se débat et souvent se décroche.

Pat n'avait pu qu'approuver. Aussi, à trois heures du matin, lorsqu'il s'était senti secoué par son hôte, avait-il fait vinaigre à quitter son lit qui sentait si bon la cambrousse. Bontemps lui jeta un coup d'œil après avoir repéré un carré de liège que les remous de la barque faisaient osciller sur l'eau sombre.

— Tu vas m'aider, dit-il, du même ton étouffé. Cappelle le bateau.

— Cappelle ? s'étonna le grand flic.

— Attache, je veux dire, expliqua Bontemps. Avec la corde du bout.

Il indiquait dans la demi-obscurité la corde liée par une extrémité à un énorme piton et qui servait à fixer le bateau aux joncs lors de la pêche au coup. Le grand s'exécuta adroitement. Déjà Bontemps avait attrapé le carré de liège et tirait à lui. L'eau gicla du cordeau qu'il amenait à longues brassées. Enfin, la grosse pierre qu'il avait liée la veille pour maintenir la ligne au fond émergea. Il la souleva, la laissa glisser à ses bottes et se remit à haler. Un *vlof !* puissant retentit dans leurs dos et l'eau se rida de lignes concentriques.

— Oh ! lâcha Patrick, admiratif. Vous avez entendu, patron ? C'est un mahous, non ?

— Une carpe, laissa choir Bontemps, connaisseur. Et une mémère, t'as raison.

Il se remit à tirer, attentif à la répercussion du cordeau dans ses doigts. Est-ce que ? Mais non. Le premier hameçon apparut nettoyé de son vers à tête noire, accroché la veille.

— Ah... fit Patrick déçu.

Un second hameçon, au bout de son bas de ligne, suivit mais avec son appât intact.

— Merde ! maugréa le grand flic. On dirait...

Puis il la boucla. Le cordeau s'était tendu et il voyait Bontemps haler avec précaution. Enfin sa curiosité l'entraîna :

— C'en est un ?

Le commissaire ne répondit pas. Il sentait à ses doigts la défense du poisson. Il hala encore. Tira très doucement. Puis, une tan-

che verte et noire frappa de la queue le plat-
bord avant de couler vers les bottes de Bontemps. Il lui entoura le corps d'un chiffon et la
bloqua entre ses cuisses. Là, de sa main libre,
il la dégagea de l'hameçon. Non sans peine.

— Pas mal, commenta-t-il.

— Au moins dix kilos, admira le grand
policier ravi.

— Si elle fait trois livres, c'est le bout du
monde, le doucha Bontemps, expert. Mais
telle quelle, préparée par Fifi ce sera un ré-
gal.

Et, du menton, indiquant le cordeau et la
pierre :

— Détache-la et enroule le cordeau après
le carré de bois que tu vois là sous le banc.
Mais va mollo. S'agit pas de me transpercer
la patte en allant trop vite.

Puis, sans s'inquiéter du Grand, il logea la
tanche dans un grand panier où elle continua à donner de la queue. Ensuite, libérant
le cordeau qu'il avait coincé de sa botte, il se
remit à tirer. L'hameçon suivant ne livra
rien, mais, l'autre... celui qu'il avait bouetté
avec un gardonnet mort...

— Cré nom, fit-il en percevant la lourdeur
et la violence de la défense.

— Qu'est-ce que c'est ? fit Pat intrigué et
les yeux affamés. Une baleine ?

Il avait du coup cessé d'enrouler autour du
carré de bois.

— Sais pas, lâcha Bontemps. Pourtant à
la violence et au poids, je crois que...

Il n'acheva pas. Sous lui, dans l'eau d'où

montait une légère brume, ça se débattait en
force. Et c'était lourd, lourd... Bontemps attrapa le chiffon, l'utilisa pour amener après
avoir pivoté du buste pour mieux se pen-
cher. En dessous, ça se démenait toujours. Il
avait beau haler... en dessous on ne cédait
pas de terrain. Il laissa un peu de champ.
Peu. Juste de quoi tâtonner, chercher à savoir. Puis il comprit. Ce poids d'arbre mort,
doublé d'un frémissement puissant...

— Une anguille, dit-il. Une grosse. Attrape
les journaux sous le banc et étale-les ici. A
mes pieds.

Il se remit à tirer, ajouta pour lui :

— Si je l'ai, la salope. C'est que...

Il hala, hala encore. Sans brusquerie. Ça
vint. Mais lentement. Très lentement. Puis
l'eau se fendit et des tourbillons la brassè-
rent avec frénésie. Pat, captivé, tentait de découvrir ce qui... Bontemps le rappela à l'ordre
en se rendant compte du poids de la prise.

— Epuisette ! La grande... Là ! A tes côtés.
Et ne la glisse pas sous le poisson. Mets-la
seulement à l'eau. T'as compris ?

Pat obéit à la hâte. Il s'empara de la plus
grande des épuisettes préparées et la plongea dans l'eau bouillonnante.

— Ne bouge plus ! ordonna Bontemps.

Et déplaçant les bras, il amena l'anguille
vers l'épuisette ouverte dans l'eau. Le poisson se débattit, frappa l'eau de son long
corps luisant et sombre. A coups sauvages et
redoublés. Mais aidé par le chiffon, Bontemps tint bon. Ce qui ne l'empêchait pas de

prier intérieurement ainsi que le font pê-
cheurs et chasseurs, même les incroyants,
quand ils ne sont pas encore certains de la
victoire. « Mon Dieu faites que je capture
cette saloperie. Faites qu'elle ne me fusille
pas mon bas de ligne. Faites que... »

Puis, il hurla :

— Lève, bon Dieu ! Vas-y !

Le grand Pat souleva le manche de l'épuisette au filet creux et profond dans lequel se
tordait furieusement la magnifique anguille.

— Sur le pont ! cria Bontemps.

Pat ne releva pas ce qu'il y avait d'incon-
gru à baptiser de pont le fond d'une petite barque de pêche en rivière. Tellement ça pesait,
il dut faire un effort des poignets pour obéir.
Déjà son patron, tenant le bas de ligne aussi
rigide que possible, dégageait l'anguille des
mailles où il avait peur qu'elle ne s'enroule.

— Quel morceau ! sifflota Pat. Elle pèse
au moins...

— Dans les six livres, le devança Bontemps qui, ayant vu la façon d'estimer de son
inspecteur, allait voir comparer sa capture
au monstre du loch Ness.

Et, il laissa glisser la bestiole qui se débattait farouchement sur les journaux étalés.
Aussitôt ceux-ci se recouvrirent de gluant et
l'anguille s'y enroula en cognant comme une
folle de son long corps infatigable le fond
de la barque.

— Elle a tout engammé, fit Bontemps en
se courbant sur elle. Bas de ligne et hameçon.
Le mieux...

L'éclair d'une lame jaillit d'un manche et Bontemps, d'un geste sûr, trancha dans la chair du poisson. Sous la tête. Il dut s'y reprendre trois fois avant de séparer celle-ci du long corps sombre et gluant qui vivait toujours. Puis, s'essuyant les doigts au chiffon, il retourna à la ligne de fond dont il avait calé le cordeau en le fixant à un piton. Et, il hala de nouveau pour ramener deux brèmes larges comme des plats de festin et trois gardons de fond avec de belles écailles rouges par endroits.

— C'est un beau score, admira Pat quand ils eurent achevé d'enrouler la ligne.

— J'ai vu meilleur, lâcha Bontemps. Et plus mauvais aussi, concéda-t-il en faisant signe de détacher la barque.

Puis, il réempoigna les rames, alors que dans la large et profonde panière au fond tapissé de feuilles, les victimes se débattaient toujours. Même l'anguille au col tranché. Quelques minutes après Bontemps faisait glisser la barque sous les retombées des branches d'un énorme chêne.

— Agrippe-toi, lança-t-il.

Sa voix était plus nette, moins feutrée à mesure que l'aube pointait, comme si elle avait échappé au silence et à l'envoûtement de la nuit. Pat obtempéra et Bontemps, penché, attrapa le carré de liège d'un cordeau relié à une nasse, descendue dans les profondeurs de la crique. Il tira, ramena le verveux qui ruissela en sortant de l'eau. Bontemps le tint quasi à bout de bras, alors que l'eau coulait sur le plat-bord.

— Rien, constata-t-il.

Et, il lâcha le piège métallique qui alla retrouver sa place au fond. Il se rassit, reprit les rames, alla plus loin, longeant les prés d'où une brume annonciatrice de chaleur montait lentement, traversée par la masse mouvante des bœufs qui se déplaçaient en broutant. Il stoppa près d'une souche, repéra aussitôt le cordeau qu'il y avait fixé. Il hala, amena un second verveux tout aussi vide.

— Merde, grommela le grand Pat.

— Le crime ne paie pas, commenta Bontemps, lugubre, en relaissant choir l'engin d'où il l'avait extrait.

— Je vois d'ici la gueule des gardes assermentés, commença Pat en gloussant. Si jamais...

Déjà son patron se remettait en branle et dégageait. Quelques coups d'aviron lancèrent le bateau jusqu'à un saule vénérable qui pleurait sur l'eau dont la teinte s'éclaircissait avec la timide apparition de l'aube. Bontemps crocheta l'une des branches, souple et solide. A la vue de la fourchette qu'il y avait liée solidement la veille et qui valsait de droite à gauche, secouée par le cordeau qui plongeait dans l'eau, il sourit.

— Cette fois, dit-il. Je crois qu'un brochet...

Pat admira. La veille, lors de la mise en place des pièges, il s'était déjà extasié sur l'astuce du commissaire : cette fourchette taillée dans une branche et qui par sa forme lui rappelait les lance-pierres de son enfance. Captivé, il avait suivi Bontemps dans tous ses gestes, il l'avait vu enrouler soigneusement un cordeau autour des deux courtes branches en V. Il l'avait observé alors qu'il coinçait le cordeau dans une encoche faite à l'extrémité de l'une des branches et qu'il se mit à laisser descendre dans l'eau l'autre bout de ce cordeau renforcé d'un bas de ligne d'acier et d'un hameçon où se débattait un vif, un petit chevesne, en l'occurrence. Et résultat, un brochet, du moins d'après Bontemps. Il guetta les mouvements de ce dernier. Cette fois, ce fut moins long. Un jaillissement. Quelques coups de battoir contre la coque et en deux mouvements de poignets l'As des Antigangs projeta aux pieds de Pat un brochet de quatre livres.

— Miam, miam, gloussa Bontemps. Bonne taille pour un beurre blanc. Tante Fifi va nous mitonner ça, fais-moi confiance.

Et, il détacha la fourchette de la branche du saule. Puis s'avisant que le grand flic essayait d'ôter l'hameçon à bec de perroquet de la gueule du carnassier, il alerta :

— Laisse, je vais le faire. Il est capable de te gober un doigt.

Et il rit, content de sa prise et de la belle journée qui s'amorçait. A son rire, un rat d'eau, rouquin de robe, se faufila le long de la berge et disparut à leurs yeux.

— Z'avez vu le gaspard ? questionna Pat.

— J'ai vu, opina Bontemps en empoignant les rames.

Il les laissa en suspens s'égoutter au-dessus de la rivière, car son regard bifurquait, suivait le vol alourdi de deux poules d'eau jaillies subitement de touffes de roseaux. Puis, il laissa aller et avança vers un troisième verveux : un qu'il avait posé dans une coulée, celle menant à un ruisseau et qui parfois... Mais là, rien.

— Ça suffit pour ce matin, dit-il relâchant la nasse qui en retombant fit rejaillir des milliers de gouttes limpides où les premières lueurs du jour suspendirent, pour un temps bref, leurs reflets.

Il se rassit lourdement sur le banc de nage, s'étira, bâilla.

— Il est encore tôt, regretta-t-il. Sinon je t'aurais emmené boire le jus chez le père Leverrier.

— Le vieil OPP à la retraite ? s'intéressa Pat. Celui que vous m'avez montré une fois quand... (1)

— C'est ça, déclara Bontemps. C'est le vieil homme qui est à la base de mon entrée à la PJ. Mais à cette heure il dort.

Il haussa ses épaules engoncées dans la veste para.

— Tant pis, rentrons. J'ai envie d'un bon café.

Il bâilla encore, ajouta :

— Et d'un solide casse-croûte. Que dirais-tu, Pat...

Puis, il se tut et grimaça. Avait-il fait un

(1) Voir l'As et le casse du siècle.

faux mouvement ? En tout cas il porta vivement la paume à sa blessure. Pat eut un geste comme pour intervenir puis se contint. Il fit bien. Déjà Bontemps reprenait tout en récupérant la rame qu'il avait lâchée :

— Je disais... que dirais-tu d'une omelette au jambon ? Une bien baveuse.

Pat voulut répondre. Bontemps le devança.

— Mais quand je dis au jambon, c'est du jambon de la ferme que je veux parler ! De celui logé avec ses copains dans la vieille cheminée. Tu vois lequel je veux dire ?

Pat n'eut pas à le dire. Son patron le devançait encore.

— Et quand je parle d'omelette, c'est avec des œufs de la ferme, hein ? Pas de ces cocos qu'ils vous fourguent à vous les Parisiens gros becs si malins !

Le commissaire dont les yeux plissés riaient, donna de la rame.

— Et par là-dessus je vais nous faire griller cinq ou six cotelettes d'agneau. Mais d'agneau, hein ?

Il claqua la langue.

— De cet agneau, t'en as jamais mangé mon gars. Il vient de notre terre. Celle qu'on a en bout de Lingreville, là où ça donne vers la mer. Là où il y a des salines. Tu vois ce que je veux dire, Pat ?

— Mais bien sûr, saliva le grand policier. Même que...

Même que quoi ? Bontemps ne le saurait jamais et ça ne l'intéressait pas. Il enchaînait tout en ramant d'un poignet adroit :

— Et pour faire descendre tout ça, on va s'offrir un sacré coup de bouchi, bien frais. Que suivra un bon coup de jus. Et puisque tu m'as bien aidé...

Il accompagna de l'œil la détente d'un lièvre qui gîtait en bord de rivière et qui venait de détaler comme le feu du diable, avant de promettre :

— ... eh bien j'irai te quérir un cruchon de calva. Mais du bon, hein ? Du fameux. De celui qu'avait bouilli il y a 66 ans le grand-père Bontemps.

Il rit, heureux de sa pêche, heureux de sa terre et de la vie.

— Tu m'en diras des nouvelles, Pat. Du 1910, garçon. Du avant la grande guerre. De celui qu'on ne trouve pas en boutique.

A son tour Pat s'esclaffa, réchauffé par le bonheur promis.

— Et tout ça encore c'est rien, enchaîna Bontemps. Mais quand t'auras goûté le beurre blanc de tante Fifi... et que ce lascar-là sera sous ta fourchette...

De la botte, il montrait le brochet qui haletait, dents prêtes à trancher et œil farouche.

— ... alors là, Pat, tu sauras ce que c'est que manger du poisson. Pas comme dans vos villes où...

Il s'interrompit pour rire de nouveau, un rire qui le secoua et fit s'enfuir un couple de merles. Puis, dans un *han* vigoureux venu du ventre, il propulsa la barque jusqu'au milieu de la rivière que le jour naissant effleurait de sa lumière.

CHAPITRE IV

Yasser Youssef, en complet de tussor gris et chemise blanche ouverte sur sa poitrine velue, posa son Cessna quatre places comme une fleur sur l'aéroport de Dinard-Lepertuit. Il remplit les formalités usuelles, puis gagna le parking face à l'aéroport et monta dans une 504 bleue. Les papiers de celle-ci comme les siens propres étaient faux. Mais du beau et magnifique boulot fourni par les 3 L et qui pouvait résister à tous les moyens d'investigation. Pour les autorités françaises, Yasser se nommait, depuis qu'il était venu organiser la libération de Pablo le Cubain, Georges Ceccaldi de Nice, directeur d'agence de voyages. Celle-ci aussi existait. Et sous ce couvert Yasser se livrait à ses activités de l'ombre. Yasser, dissident du Mouvement de Libération de la Palestine était bistré de teint, noir de cheveux, de moustaches et de regard. Usant de plusieurs langues, plutôt petit, fort et trapu, il était excessivement dangereux. Affable, courtois, il trompait son monde. En réalité, il était décidé, implacable et efficace dans l'action. Musulman farouche, il fumait du haschich aussi aisément que d'autres pompent leurs Gauloises bleues.

Un quart d'heure plus tard, il immobilisa la 504 au pied du perron d'une villa dressée à l'extrême pointe du Moulinet et d'où l'on dominait la mer de tous côtés. Il en descendit, un paquet de journaux sous le bras, escalada des marches de marbre, déboucha sur une immense terrasse éclaboussée de soleil. Lorice Atafa s'y tenait, près d'un téléphone blanc posé sur une chaise de jardin. Sur une table demeuraient les reliefs d'un déjeuner, un poste de radio et des notes jetées au crayon.

— Tu sais déjà ! dit-il, laissant choir les journaux sur la table peinte en blanc.

Les longs cils noirs de Lorice battirent.

— Je sais. La radio l'a répété plusieurs fois.

L'œil noir de Yasser balaya la plage de l'Ecluse que la villa dominait sur sa gauche, puis la mer que des voiles blanches et bleues sillonnaient mollement, car la brise était lascive.

— J'étais en face de la prison, bien avant six heures, au cas où...

— Les chiens. Ils l'auront voulu.

Il ramena son regard sur Lorice et ainsi que chaque fois qu'il la contemplait, il sentit l'envie d'elle lui cisailler le bas-ventre. Il avait rudement lutté contre cette envie. En vain. Elle l'excitait. Et ça datait de loin. De l'époque où Pablo, elle et lui faisaient leurs classes de terroristes au Sud Yemen et en Chine populaire. C'était de ce temps où tous trois apprenaient à préparer la révolution mondiale que Lorice avait opté pour le Cubain. Et depuis, ils avaient lié leur destin amoureux autant que leurs activités le leur permettaient. Yasser en avait conservé, comme du fiel au fond de la gorge, l'envie encore plus brutale de la posséder un jour. C'est qu'elle était belle ou encore mieux, affolante. Brune, longiligne d'1,70 m, les yeux d'un vert clair, la peau mate, les traits d'un arabisme pur, farouche, ardente et passionnée, féline et aussi dangereuse dans l'action que Yasser, elle aurait pu choisir un autre destin. Mais elle ne vivait que pour Pablo et la politique, celle qui chambarde et fait rêver la jeunesse. Elle aussi vivait sous des faux papiers. Ceux-ci indiquaient Thérèse Malloumian, 25 ans, décoratrice, née à Marseille. Là encore les papiers tenaient. Et puis, ils n'avaient guère d'importance. Elle, ainsi que Yasser, possédaient des jeux complets de rechange dans le cas où... Il la suivit de l'œil alors qu'elle se courbait sur le téléphone qui sonnait. Elle avait une de ces silhouettes ! Pourtant, elle ne recherchait pas l'effet. Un jean au bleu passé retroussé aux mollets plaquait à sa croupe nerveuse et un petit boléro de toile bleue également passé lui couvrait les épaules. Mais il boutonnait mal et laissait parfois les seins à nu. Ceux-ci étaient dressés, dardés, ivoirés de chair. Bistrées, leurs pointes bougeaient à chaque mouvement de la femme de Pablo. En réalité elle était autrement mieux que sa femme : sa complice, sa maîtresse, son amie. Sans compter que tellement d'attentats les liaient !... Bien plus solidement que tous les contrats de mariage. Il se versa une tasse de café froid, le sucra, l'avala tout en l'écoutant lancer dans l'appareil :

— Le matériel vous attend. Vous livrerez à midi. Au revoir.

Elle raccrocha, se redressa, ce qui de nouveau fit remuer sa poitrine lisse et pure de forme. Yasser ravala sa salive et reposa sa tasse.

— On opère ? D'accord ?

Il semblait affirmer, mais en réalité il prenait les ordres. C'est elle qui drivait pour l'opération Pablo. Non parce qu'elle était sa femme mais parce que le sommet l'avait décidé. Et Yasser ne pouvait que s'incliner. La Lutte pour la Libération de L'homme ne plaisantait jamais. L'humour était inconnu à ses dirigeants. Ils n'admettaient que l'obéissance, le dévouement, le sacrifice.

— On opère, dit-elle en s'octroyant une Pall-Mall qu'il lui alluma aussitôt. A 14 heures précises. Tous seront en place.

Elle aspira une goulée du tabac blond, en rejeta la fumée, ajouta :

— Du moins, je l'espère.

Et, lui comme elle, portèrent alternativement leur attention vers quatre points stratégiques qui encadraient et dominaient la place de l'Ecluse. Mais lui, troublé ainsi que chaque fois qu'ils se retrouvaient seuls, ramena son regard sur elle. Buste droit, tête rejetée un peu en arrière, sa longue chevelure chutant le long de ses reins creusés par l'attitude, elle l'énervait. Il ne put s'empêcher d'allonger le bras et de flatter ses fesses où plaquait le tissu du jean. Il en sentit la rondeur élastique, mais pas longtemps. D'un revers foudroyant elle tenta de le gifler. Il n'eut que le temps de lui bloquer le poignet en gloussant alors qu'elle écumait, paquet de nerfs et de sauvagerie :

— Ne me touche pas !

Il cessa de glousser. Rien que de l'avoir palpée lui brûlait le sang. Il murmura d'une voix chargée, rendue rauque par un désir violent :

— Mais Lorice... tu sais bien qu'il faudra que je t'aie !

Elle dégagea son poignet d'un mouvement brusque.

— Va voir les putains. Et si tu me touches encore, je te balafre au rasoir.

Puis, elle fit deux pas en arrière, la poitrine soulevée par la colère. Il respira, se remit à ricaner alors qu'elle décocha en arabe :

— Faut que tu sois fou pour songer à ça en un tel moment !

Elle n'avait pas tout à fait tort. Mais, il n'y pouvait rien. Et puis, bien souvent les mâles avant d'aller risquer leur vie ou revenant de la risquer, aiment se fondre en la chaleur des femmes. Il le dit :

— Tu me brûles le sang. Et je veux brûler encore plus.

Il abaissa ses yeux sombres vers son sexe qui tendait le tissu du côté de son bas-ventre. Machinalement, elle accompagna du regard son mouvement, détourna rageusement la tête.

— *Porco de Dios*, jura-t-elle en espagnol, langue qu'elle pratiquait aussi aisément que sa langue d'origine, de même que le français et l'anglais. Un jour je te couperai les *cojones* !

Il s'esclaffa, fit un pas vers elle comme pour la saisir dans ses bras puissants, dont les muscles saillaient sous le tussor léger. Elle se cabra, une nouvelle insulte aux lèvres, mais il n'alla pas plus loin. Léa, la Française assez âgée qui s'occupait de la villa qu'ils avaient louée pour l'été, venait de surgir pour débarrasser la table. Non qu'elle leur porterait ennui. Elle était de leur bord sans connaître leur identité véritable. Mais, elle n'avait pas à savoir leur affrontement.

*
* *

— Papa ! Papa ! A toi.

Hervé Le Bollec amortit de ses baskets le ballon qui lui arrivait à toute volée dans les tibias et le renvoya avec moins de force vers son aîné. A son tour, celui-ci bloqua et renvoya vers le cadet. Du poing cette fois. Le ballon mal dirigé alla donner contre les casseroles posées à l'extérieur de la caravane et les fit basculer. Le tintamarre fit jaillir la femme d'Hervé.

— Vous ne pouvez pas aller jouer ailleurs ? cria-t-elle au trio. Mes casseroles !

Et, elle se précipita vers l'une d'elles qui, renversée, laissait couler une eau toujours précieuse en camping. Les enfants s'esclaffèrent et leur père les imita. Puis, il consulta sa montre-bracelet, objet solide cerclé de nickel brillant.

« Neuf heures dix, constata-t-il pour lui-même. Il est temps. »

Renvoyant d'une tape le ballon qui lui parvenait de nouveau il pénétra dans la caravane.

— Je pars, annonça-t-il au passage à sa femme, une blondinette un peu courtaude. Je serai de retour demain.

Elle acquiesça de la tête. Elle ne posait guère de questions, ne se plaignait pas plus. Elle acceptait la vie. Ils n'étaient pas si malheureux. Elle s'occupait dans leur trois-pièces de Sarcelles, lui usinait comme metteur au point chez Renault. Agé de trente ans, solide et sûr au travail, il irait plus loin dans sa carrière. Du moins, Antoinette, sa femme, l'espérait-elle. Tous deux de sang celte, s'étaient rencontrés sept ans auparavant dans un bal de Quimper. Et ils avaient décidé de mélanger ce sang pour faire souche. Résultat : Yannick l'aîné et Loïc le cadet, leurs enfants. Lui avait hérité de sa race les traits un peu mongols, les yeux gris et la ténacité légendaire. Il était épais de buste, déjà presque chauve. Joyeux compagnon, bien vu de tous, il passait pour apolitique. Ce qui ne l'empêchait pas de cotiser à la CFDT. « Pour faire comme les copains », blaguait-il.

Peu après il ressortit, un sac de cuir à la main. Il était toujours en jean, s'étant contenté d'endosser une veste de toile également bleue et de coiffer ses derniers cheveux d'un blond-roux, d'une casquette de toile de forme marinière. Il accueillit l'assaut de sa tribu, se courba pour les embrasser. Il y mit de la chaleur. Ils étaient son monde. Puis, il prit sa Renault 12, quitta le camping. Le soleil l'accompagna jusqu'à un bois peu éloigné de Pléven. Il rangea la R 12, boucla la portière, s'enfonça dans une allée : la fourgonnette était là. Fermée à clef. Il l'ouvrit, s'assura que le long étui de cuir et la caissette de bois y étaient aussi. Il fouilla la boîte à gants. Là encore, tout était en place : cartes grises, faux papiers d'identité. Il se mit au volant, gagna la départementale. A 11 heures pile, il chargeait Ernesto et Ramon, deux frères jumeaux, qui l'attendaient sur le bas-côté de la route, près d'un bistro de village. Ils étaient colombiens, avait-on précisé à Hervé en les lui présentant trois jours auparavant. Hervé avait opiné sans chercher à en savoir plus. Et qu'ils soient colombiens ou japonais quelle importance ? Ils étaient là, donc c'est qu'ils étaient capables d'agir. Le reste...

A midi moins le quart, Hervé rangeait

l'Estafette en bas de la propriété qui s'élevait, à demi dissimulée par les arbres, sur l'extrême droite de la plage de l'Ecluse qu'elle surplombait. C'était une bâtisse un rien orgueilleuse, en retrait de l'extrême pointe du Moulinet. Bâtie pour durer et affronter les embruns, ardoisée de toiture, construite de pierres grises, ornée de tourelles carrées, elle faisait manoir. Ce que tenaient à bien préciser ses propriétaires qui, pour l'heure installés sur la pelouse, buvaient apéritifs et orangeades. Ils étaient cinq. Le père Georges Barave, industriel du Nord, sa femme Evelyne et leurs trois enfants : Pierre, Paul, Jean, de 15 à 19 ans. Des noms de saints. Ce qui était la rigueur dans une famille chrétienne qui continuait à se rendre aux offices en dépit des remous secouant l'Eglise.

CHAPITRE V

Placée entre la pointe du Groin et celle de la Malouine, la villa *Les Mouettes*, nichée dans les verdures, dominait la baie de St-Malo. De ses baies vitrées, la vue était à couper le sifflet. D'elles, le regard pouvait virer du banc des Pourceaux à celui de Harbour, jusqu'à l'île de Zézembre. En dépit de son sensationnel emplacement, elle était vidée depuis deux jours de ses estivants et ne serait occupée que le 15 août par de nouveaux locataires. Les propriétaires, eux, rupins et désœuvrés, se trouvaient en Egypte depuis six mois à étudier les vieilles choses pharaoniques.

A midi moins dix, Christian Marquette au volant d'une 204, remonta la rue Paul-Thorel, prit l'allée des Douaniers, s'immobilisa devant l'entrée du parc de la villa *Les Mouettes*. José Dual qui le couvrait, descendit, ouvrit la barrière et Christian Marquette, une Marlboro aux lèvres, s'engouffra dans le parc. José referma. Nul ne les avait vu arriver dans ce coin désert, difficile à atteindre. A midi pile, Christian, négligeant

la beauté du site, avait placé un fusil mitrailleur à l'étage supérieur de la bâtisse
blanche toitée d'ardoises d'Angers. Il n'avait
eu qu'à suivre les indications frappées à la
machine sur une feuille pour installer son
FM dont il avait calé les pieds sur la table de
la chambre sous les combles, et qu'il avait
ramenée contre la fenêtre. Une position
idéale ! En faisant pivoter son arme, il couvrait une bonne partie de la plage de
l'Ecluse, bien abritée, qui s'enfonçait profondément entre les pointes de la Malouine
et celle du Moulinet. Et surtout, et surtout, il
pouvait empêcher toute sortie par barque
ou canot de la plage. José Dual avait été
désigné pour le couvrir sur ses arrières durant l'opération. José était un homme peu
loquace. Barbu, l'œil sombre et triste, il était
catalogué comme sûr. Christian Marquette,
qui avait déjà opéré une fois avec lui, le
savait. En froc de toile et espadrilles, le torse
pris dans un tricot de marin, ancien commando de la guerre d'Algérie, âgé de
trente-huit ans, José Dual était au chômage
depuis un an. Agent technique occasionnel,
logé dans un studio élégant de la Porte Dorée, il était célibataire et bien estimé des
locataires de son immeuble moderne. En
dépit de son nom patronymique, il était né
en France, mais de parents espagnols qui
avaient fui Franco. Spécialiste en attentats, on
faisait appel à lui dans les coups ardus en le
faisant voyager sous des noms d'emprunt.
Un dur. Après avoir aidé l'héritier de la fa-

brique de conserves à s'installer, il récupéra le sac de marin qu'il avait posé contre un mur et redescendit visiter les lieux. S'ils étaient découverts et attaqués, la résistance ne pourrait être longue. Quoique avec le pistolet mitrailleur qu'il venait de sortir du sac auquel s'ajoutaient des grenades défensives, il pourrait tenir quelque temps. Et aussi, tout de même, en cas de pépin, ils auraient la ressource de sauter dans le chemin de ronde qui partait du côté gauche de la plage, allait jusqu'à la pointe des Etétés, un chemin creusé dans le roc et dominant la mer. De toute manière, il n'avait pas à penser. Là-haut, quelque part dans un recoin de la planète, quelqu'un pensait pour eux.

Son PM sur la table centrale d'une grande pièce à baie vitrée, il vérifia avec soin ses chargeurs de rechange. Allons, tout allait pour le mieux. Ce que s'informait dans son dos Christian Marquette redescendu vérifier où il en était.

— OK, José ?

Le spécialiste en révolution bougea la tête.

— OK, *hombre*.

— J'espère que les autres sont aussi en place, laissa tomber Christian en balayant la pièce du regard.

José Dual ne répondit pas. Il inspectait l'endroit pour trouver quel meuble il allait caler contre la porte d'entrée, alors que Christian s'intéressait aux volets de fermeture. Dans le dispositif de Lorice Atafa, pour l'opération Pablo, ils étaient baptisés Point 1.

*
* *

Le Point 2 visait une chambre sous les
combles du Chrystal-Hôtel. L'établissement
vieillot de trois étages se situait quasi en
bordure de la plage qu'il surplombait en retrait du chemin de ronde, sur son côté gauche. Par ses fenêtres se ruaient les bruits,
quoique assourdis, de la circulation de la
place du Maréchal-Joffre et des cris joyeux
des enfants.

A midi moins quatre, Julien Vergnaud, en
tenue de touriste, porteur d'un attaché-case
et d'une sacoche, pénétrait dans la chambre
située au dernier étage. Henri le Basque,
chargé de clubs de golf, l'accompagnait. Responsable de la protection de Julien, il avait
retenu la chambre voisine, qu'une porte laissait communiquer avec celle de Julien. Ils
s'installèrent rapidement dans ces pièces
aux meubles anonymes qui ne servaient que
les courts étés. Spécialiste des armes à feu,
champion de tir, Vergnaud, l'homme de l'informatique eut vite fait de remonter le FM
logé dans l'étui de golf. Il poussa la table
ornant la pièce contre le mur sous la fenêtre
et chercha le meilleur angle de visée pour
couvrir la plage à sa sortie vers la ville. A ses
côtés, le Basque, un noir de poil et de regard,
l'observait, sans parler. D'ailleurs, ils
n'avaient rien à se dire. Ils ne se connaissaient pas. Yasser les avait présentés, c'était
tout. Mais, s'il ne disait mot, le terroriste

basque, qui comme José Dual était un exécutant à qui on faisait appel dans les cas
difficiles, opinait devant la mise en place du
dispositif. Il ne bougea que lorsque Julien
Vergnaud eut achevé de vérifier tous les angles de tir que lui offrait la position et calé
les pieds du FM. Pour celui-ci, si la situation
le réclamait, Henri servirait de chargeur, sinon son chef de file tirerait au coup par coup
ou par rafales sèches. Toujours approuvant,
le Basque sortit d'une sacoche un projecteur
de grande puissance couplé avec un dispositif infrarouge qui se manœuvrait à la main.
L'homme de l'informatique le lui enleva des
mains, en vérifia le mécanisme, le lui rendit.

— Parfait, dit-il.

Puis, aussi laconique que son protège-
flanc, il ouvrit l'attaché-case qu'il avait apporté. Celui-ci livra son contenu : un radio-
téléphone qui se composait d'un micro
émetteur avec activateur spécial, d'un
haut-parleur et d'un récepteur miniature. Le
tout avec télécommande par poignée et micros incorporés. D'un regard, il s'assura que
tout était bien en place, prêt à être utilisé
avant de consulter sa montre-bracelet.
12 h 08. Ils étaient OK. Il observa le Basque
qui revenait de sa chambre avec un sac à
provisions. Il le laissa déballer les sandwiches, alla de nouveau inspecter la fenêtre. A
côté de cette dernière, s'élevait sur le côté
gauche et piquant vers le ciel, une sorte de
laide tourelle portant à son faîte CRYSTAL
et à la verticale, le long de cette curieuse

tour publicitaire : UTARING. Rien à espérer
de ce côté en cas de fuite. Mais la fuite était
exclue. Du moins pour eux, piégés dans ces
chambres sous les toits. Restait que ceux
dont ils dépendaient, cette fille et son bras
droit, prévoyaient toujours la porte de sortie. C'était leur rôle. Mais ils ne donnaient
jamais d'explication aux exécutants. Tout
était censé être paré, pesé, disséqué pour
éviter le plus possible la casse. De toute façon, Pablo, tête d'affiche de leur mouvement
valait bien des sacrifices. Même des vies.
Même les leurs. Ils avaient adhéré. Alors ?
Julien Vergnaud extirpa un paquet de Gita-
nes bleues de sa poche, puis le rentra en
voyant le casse-croûte que le Basque lui tendait. Il le prit et tous deux se mirent à mas-
tiquer en silence, leurs regards dirigés vers
la mer.

*
* *

A 12 heures précises, selon les instructions, Patrice Voubié, vêtu d'un fil à fil bleu
pervenche comme son regard, celui-ci caché
par des lunettes fumées, pénétra dans le
parc de la villa *Mon Désir* plantée
parmi les arbres et les fleurs sur le côté droit
de la plage de l'Ecluse. Il était à l'arrière
d'une 280 SE Mercedes, pilotée par Luis Artigas, un Argentin beau et vivace. A côté de
ce dernier se tenait Loréna, une Libyenne
croyait-on. En tout cas, c'est ce qu'elle avait
expliqué en assez bon français. Mais qu'elle

soit de Libye, d'Irak ou d'ailleurs cela importait peu. Si on l'avait désignée pour épauler Patrice Voubié, c'est qu'elle avait dû faire ses preuves. Le mouvement n'utilisait que des personnes sûres et décidées à tout, même à mourir. Surtout à mourir. Qu'elle fût Libyenne, Patrice, tout en s'en moquant, en doutait. Blonde, très jolie, quoique les lèvres un peu minces, elle fixait le monde de ses yeux bleus, revendicatifs. Peut-être était-elle Syrienne, après tout ? Ou Egyptienne ? Ou... Ou... Et puis qu'est-ce que ça pouvait foutre ? Elle était là et ne semblait pas être faible du côté cœur. Preuve, la Mercedes à peine stoppée devant le perron, elle descendit la première et se préparait à se diriger vers le couple qui venait de surgir en haut des marches. Il la freina.

— Doucement, amie.

Et il la rejoignit pour escalader les marches avec elle.

— C'est à quel sujet ? s'étonnait la maîtresse de maison en s'avançant.

Elle avait la soixantaine affable, les cheveux blancs, le teint rosé.

— Bonjour, madame. Nous avons besoin de votre villa, renvoya Patrice d'une voix douce.

— Hein ? sursauta l'homme, s'avançant à son tour. Vous dites ?

Il avait, curieusement, le même teint rosé et la même blancheur dans la chevelure que son épouse.

— Mais vous êtes fous ! enchaîna-t-il vivement. Répétez voir ?

— Nous voulons votre villa, obéit calmement Patrice Voubié. Si vous êtes tranquilles, nous vous garantissons qu'on ne vous touchera pas et...

Il ne put terminer. Un garçon d'une trentaine d'années en tenue de tennis qu'accompagnait une jolie fille, plus jeune, venait de surgir.

— Qu'est-ce que j'ai entendu ? lança-t-il, sourcils froncés et mâchoire lourde.

Il était blond et fort. Elle, blonde également, mais fragile, féminine. Ils formaient un beau couple, de blancheur vêtus. Car elle portait une jupette de tennis, des socquettes blanches et une chemise Lacoste qui racontait que les seins qu'elle voilait étaient superbes et orgueilleux. Tout en marchant vers Patrice, le garçon, après l'avoir détaillé, ajouta :

— Répétez ça, pour voir.

De sa voix fluette, calculée pour séduire, le coiffeur pour dames s'exécuta suavement :

— J'aimerais que vous nous laissiez votre villa pour quelques heures, dit-il en souriant. Quand je veux dire laisser, je commets une erreur. Il n'est pas question que vous partiez. Vous restez chez vous. Avec nous.

L'homme s'immobilisa à un mètre de Patrice. Il le dominait sans peine de sa stature, de ses muscles de sportif, de sa confiance en lui, de son bon droit, de sa force. Il sourit à son tour.

— Non, c'est une blague ! Vous rigolez.

Les sourcils épilés de Patrice Voubié se soulevèrent ironiquement.

— Hélas, non. Et croyez bien que j'en suis navré, mais il nous faut votre villa.

— Mais enfin, monsieur ! C'est insensé ! intervint la dame âgée.

— Laisse, maman, la stoppa le garçon.

Puis, après avoir mieux détaillé Patrice et sa compagne, il éclata de rire.

— Mais voyons maman ! Papa ! Vous voyez bien que c'est une blague ! Que nous avons affaire à un pédé ! Que...

Sa gaieté forcée se gomma subitement devant l'automatique qui venait de se matérialiser au poing de Patrice : un CZ modèle 50 de fabrication tchèque. Un engin redoutable, à huit coups, que prolongeait un silencieux.

— Mais... bafouilla-t-il, reculant d'un pas. Mais...

Puis, se ressaisissant, il refit courageusement le pas inverse, les mains en avant, décidé à...

L'arme dans la main du jeune coiffeur révolutionnaire bougea, parut sauter.

— Non ! cria la mère en se portant devant son fils. Paul, je t'en supplie.

— Laisse, maman, fit celui-ci, tentant de la repousser.

Puis, découvrant Luis Artigas qui montait les marches chargé d'un attaché-case et de clubs de golf, il hocha la tête.

— Ah... C'est donc vraiment sérieux. Mais m'expliquerez-vous... Nous n'avons rien ici. Je veux dire en liquidités. Quant aux bijoux

de ma femme ou ceux de ma mère, croyez
bien...

Patrice leva sa main libre tout en faisant
signe à Loréna, qui avait aussi dégainé, de
ne pas broncher.

— Il ne s'agit pas de vos biens, dit-il.
Nous avons seulement besoin de votre villa
pour exécuter une mission. Celle-ci terminée
nous nous en irons sans autre dommage
pour vous.

— On peut savoir la mission ? s'inquiéta
le garçon.

— Rien, trancha Patrice. Maintenant re-
tournez à l'intérieur et ne cherchez pas à en
sortir, ni à téléphoner, ni à faire quoi que ce
soit contre nous. Sinon...

Il les poussa vers la porte-fenêtre qu'encadraient des glycines mauves, en ayant soin
de rester hors de portée de ce Paul. Et pour
le mettre en garde, il conseilla encore :

— Si vous tentez quoi que ce soit vous
êtes mort. Tous. Et ne vous fiez pas à ma
camarade que voici. Elle est plus déterminée
que moi. Donc filez doux.

L'héritier de l'endroit, jeune directeur de
sociétés, plein d'avenir, dissimula son regard. Bon Dieu ! L'autre l'avait deviné.
C'était vrai que comptant sur sa science de
karatéka il avait escompté en venir à bout.
Dompté pour l'instant, il emboîta le pas aux
siens qui venaient de pénétrer dans un vaste
living, au sol dallé de marbre et qui comme
dans toutes les bâtisses du secteur, ouvrait
sur la mer par des baies vitrées.

— Tu les gardes, ordonna Patrice à Loréna.

Puis, voilant une nouvelle menace sous son ton fluet, il revint à la famille :

— Vous pouvez vérifier que nous avons des silencieux à nos armes. Donc que nous pouvons tirer sans alerter vos voisins, d'ailleurs invisibles dans leurs jardins et parcs. Prenez en note au cas où...

Sans poursuivre et sans hésiter, il se dirigea vers un escalier, toujours de marbre, qui menait à l'unique étage de la villa. Chargé du matériel, Luis le suivait. A 12 h 15 le dispositif de Point 3 était en place. Le jeune homosexuel avait installé son FM dans un axe lui permettant de balayer la sortie de la plage de l'Ecluse, côté droit. C'est-à-dire, de pouvoir empêcher le reflux des baigneurs vers la promenade du Palais des Congrès qui jouxtait le bassin des enfants et la fameuse piscine olympique de la ville. Il avait judicieusement placé son engin de destruction à l'arrière d'un œil-de-bœuf, le canon de l'arme reposant sur le rebord de celui-ci. Bien calé, chargeurs de rechange à ses côtés, sur une table supportant les pieds, Patrice n'avait plus qu'à faire comme tous ceux du commando, attendre que sonnent 14 heures. Il récupéra son veston qu'il avait ôté et plié soigneusement avant de redescendre. C'était un méticuleux, quasi maniaque d'ordre et de propreté. Ça datait de loin. De son adolescence. Après une enfance dans un orphelinat, sans rien pour démarrer dans l'existence, il avait pris pour habitude de plier et de ranger le seul pantalon qu'il possédait. Cette manie ne l'avait plus quitté. Même pas quand un bourgeois, âgé et riche, s'était entiché de ses yeux pervenche et de ses joues rondes. Il lui avait cédé, était devenu ce qu'il était devenu, mais avait gardé la haine d'une certaine forme de société qui avait tenu en mépris son enfance. En bas, il alla inspecter les pièces et s'attarda devant l'une d'elles : un cabinet de débarras, assez spacieux, muni d'une serrure.

— On va vous enfermer ici, décida-t-il.

— Mais... voulut se rebeller Paul Perdax, le fils de l'endroit.

— Justement on va vous y enfermer vous, enchaîna Patrice en le fixant. Les autres pourront rester ici, sous la garde de l'un de nous.

— Mais... amorça encore Paul Perdax.

S'assurant que Loréna les tenait tous sous le canon de son calibre, Patrice fit deux pas en avant. Il ne riait plus. Il gronda :

— Allez vite vous fourrer là-dedans ou le pédé vous en colle une dans la panse.

Paul affronta les yeux pervenche et ce qu'il y lut lui fit mollir les jambes. Il recula, puis pivotant, sans même un regard aux siens, il alla dans le réduit que Patrice boucla sur lui.

— A présent, on est tranquilles, dit celui-ci en revenant. Et, fixant Loréna derrière ses verres fumés qui lui transformaient le visage : Faim ?

Elle secoua ses boucles blondes, taillées court.

— Non. Soif.

Il lui indiqua un bar roulant.

— Il y a là, tout ce qu'il faut. A moins que tu veuilles de l'eau... Alors dans ce cas la cuisine...

Elle rengaina son arme, se dirigea sans un mot vers la cuisine. Patrice s'assit sur un pouf, face à la famille installée sur un divan de cuir dont la forme cernait une table basse en bois rare, de style chinois.

*
* *

Dans le dispositif de Lorice Atafa, responsable de l'opération Pablo, le manoir, dont elle pouvait de sa villa de location apercevoir la toiture ardoisée, était le Point 4. A midi tapant, ses occupants, la famille Barave, qui se relaxaient sur leur terrain devant des rafraîchissements, virent venir vers eux trois hommes dont l'un était chargé de matériel. Tous portaient des lunettes noires. Georges Barave, le chef du clan, se dressa, sourcils écarquillés. Il disait toujours qu'il fallait fermer la porte du parc !

— Messieurs, que me vaut...

Hervé Le Bollec avait déjà exhibé un P. 38, imité en cela par Ernesto, l'un des jumeaux.

— On occupe votre villa mais vous restez avec nous, dit-il sans aucune formule de politesse.

Jean, l'aîné des Barave, se propulsa de son

fauteuil relax. Aussi sec le canon noir du
pistolet d'Ernesto pivota vers lui.

— On se calme, *amigo*, conseilla-t-il.

— Et vous aussi, ajouta-t-il vivement, faisant de nouveau pivoter son Rigoustin sur
Pierre, le cadet dont les quinze ans étaient
belliqueux.

Les garçons refluèrent, leur père pointa le
menton en avant.

— M'expliquerez-vous... commença-t-il.

— Oui, nous aimerions bien savoir, intervint sa femme Evelyne à son tour.

Hervé ne répondit pas. Un bond l'avait
conduit près d'Emile, le vieux maître d'hô-
tel, qui après les avoir aperçus en débouchant,
cherchait à se replier.

— Vous restez avec nous, dit-il, happant
l'homme sans brutalité. Et personne n'ap-
proche du téléphone, enchaîna-t-il encore à
l'intention de tous.

Puis, il compta à voix basse, vérifia une
fiche. C'était ça. Décidément, l'opération
avait été drôlement étudiée. Il est vrai que
depuis des mois la Lutte pour la Libération
de L'homme préparait le terrain pour faire
un exemple et frapper l'opinion mondiale.
Tout avait été mis en œuvre dans ce but.
Abandonnant la famille à la garde d'Ernesto,
il entraîna Ramon chargé de matériel dans
les étages. Après avoir parcouru les lieux, il
opta pour une pièce sous les combles, en-
close dans l'une des sortes de tours carrées. De
la petite fenêtre qui en perçait le mur, la
vue sur la plage de l'Ecluse était fantastique.

Par ailleurs, de là, on condamnait la sortie éventuelle des estivants vers la mer. Un coin idéal en partie dissimulé par de grands peupliers. Hervé installa le FM, apporté dans un étui par Ramon. Il le fit manœuvrer sur son axe, consolida ses assises et, satisfait, se mit à extraire d'un attaché-case l'émetteur-récepteur radio perfectionné dont tous avaient été munis. Ils étaient OK. Ils n'avaient plus qu'à attendre l'heure H. Mais avant, il lui restait une chose à faire : s'assurer d'un endroit où boucler la famille pour ne pas avoir ses membres dans les pattes pendant l'action. Suivi de Ramon, il redescendit au rez-de-chaussée, non sans admirer au passage le luxe régnant. Aux murs et dans les pièces, ce n'étaient que meubles et tentures de prix, tableaux et objets de valeur. Tout ça de bon goût. « Toujours les mêmes qui ont tout », constata Hervé Le Bollec en frôlant au passage une sculpture œuvrée dans un marbre rare.

Ernesto, qui comprenait bien le français, avait entendu. Il approuva.

— Un jour ça changera, *hombre*. Un jour, les prolétaires...

Hervé Le Bollec hocha la tête avec vigueur et la casquette marine qui le coiffait faillit choir. D'une tape, il l'affermit sur son crâne et repêcha son P. 38, car ils débouchaient sur la terrasse où, silencieuse et rétive, la famille de l'industriel guettait leurs pas.

CHAPITRE VI

L'antique horloge normande en vénérable merisier cloutée de cuivre donna le quart de 13 heures. Paul Bontemps tourna le cou vers elle et sourit. Elle avait marqué les heures de son enfance, était toujours solide au poste. Combien de dizaines et dizaines d'années avait-elle? Et combien lui en restait-il à sonner encore ? Elle durerait certainement plus que les hommes présents. Même que Patrick Lemaître, qui pourtant à l'éphéméride de son existence, n'accusait que le chiffre 26. La vaste salle commune où une cuisinière à Butagaz, flambante de blancheur, avait chassé le piano à charbon, sentait bon l'encaustique et surtout le bon manger. Et, si le butane s'était imposé, il n'en restait pas moins que tante Fifi, l'automne venu, continuait lorsqu'elle était là, à faire cuire dans l'immense cheminée de pierre la fameuse soupe paysanne à la graisse. Mais, pour l'instant, elle déposait au centre de la toile cirée rouge et blanc, un plat où le brochet pris du matin avait moins fière allure. En

revanche, les effluves qui se dégageaient du
plat de faïence, presque aussi vieux, aussi
vénérable que l'horloge, faisaient saliver.

— Vous allez goûter ça, les gamins, dit-
elle heureuse de les servir. Un beurre blanc
comme on n'en fait que du côté de Nantes.

Les narines de Patrick Lemaître s'ouvri-
rent et sa langue humecta ses lèvres sous ses
moustaches à la bandit mexicain. Bontemps,
lui, éclata de rire. Tante Fifi poursuivit à son
intention :

— Une de tes tantes qui m'a appris, ma
gamin. Elle avait planté ses couettes là-bas...
du côté de Basse-Goulaine. Elle avions quitté
le pays-ci pour se mari avec un de là-bas...
un godelureau coureur de filles. Ah, la pô-
vrette ! Elle en a eu bi du malheur avec li...

Tout en plaignant la tante inconnue de
Bontemps et décédée, elle versait, à l'aide
d'une énorme cuillère en bois. Et, à mesure
qu'elle explorait dans l'immense plat décoré
de fleurs, l'arôme inégalable du beurre blanc
s'étendait au-dessus de la tablée. Autour de
celle-ci, en plus des deux policiers, s'étaient
coulés sur les bancs que les fonds de culottes
avaient lustrés, le couple qui gérait la ferme
et le commis qui utilisait un couteau à manche de corne, sorti de ses bleus de travail,
selon l'ancienne mode. Et, toujours selon
l'ancienne mode, où les mâles mangeaient la
coiffure vissée sur la tête, il avait conservé
sur son crâne aux cheveux blond filasse
une casquette à la visière amollie par les
intempéries. Sur la table trônaient également

un grand cruchon en verre empli de cidre
frais, tiré au tonneau, des assiettes de co-
chonnailles, pâté et saucisses faits à la
ferme, auxquels ils avaient tous rendu
hommage et, à côté, un pain rond à la croûte
balafrée, noirâtre et croquante. Paul Bontemps qui venait de tailler dedans planta
son couteau dans la motte de beurre placée
sur une feuille de chou dans une assiette. Il
annonça en se beurrant une tranche de
pain :

— Après le déjeuner, Pat, on va embarquer tante Fifi à la plage. Puis, au soir, en
retournant, on ira tendre les lignes de fond
et lever les verveux. Ça te va ?

— Bien sûr, renvoya le grand Pat qui lou-
chait sur la cuillère de tante Fifi qui le servait en minaudant.

— Vous n'allez pas me faire croire que
vous allez vous emberlificoter d'une vieille
dame comme moi, disait-elle. Alors qu'à
Coutainville il y a des tas de jolies filles !

— Si, madame, insista Bontemps. On
vous embarque Patrick et moi. Et rien ne dit
que ce soir, après le souper, on n'ira pas danser.

Tante Fifi gloussa, cuillère levée.

— Danser ? Voyez-vous ça ! Danser vos
espèces de bêtises ! Où la fille sait seulement
pas qui c'est son cavalier ! Elles sont toutes à
tournicoter comme des andouilles de Vire
au bout d'une ficelle sans savoir si...

— Comment que tu sais ça, toi, tante Fifi ?
s'esclaffa son neveu. T'as jamais...

Elle le freina en agitant sa cuillère de bois d'où s'échappa une larme de sauce.

— Et la disco, je ne sais plus quoi, où tu m'as emmenée une fois ! Tu...

Ce fut à son tour de la stopper. Mais par un éclat de rire.

— Ah ! oui c'est vrai. Au *Privé*. C'est ce fameux soir où on fêtait la nomination de Marcel au poste de directeur adjoint.

— Oui, monsieur, répliqua-t-elle. Justement, ce soir-là, où les filles te faisaient des yeux de margoulette. Et quand je dis des filles...

Elle eut l'air de prendre les autres à témoin.

— ... Elles n'avaient point grand-chose sur le cul en tout cas. Des oripeaux à ne pas croire. Quant à leurs danses, là... et que je me trémousse, et que je tournicote, et que je remue mon derrière...

Joignant les gestes aux mots, tante Fifi, sans lâcher sa cuillère, se mit à twister, aussitôt encouragée par les battements de mains rythmés de son neveu et du grand Pat, tout ça, sous l'œil ahuri du commis qui en oubliait de manger et sous celui narquois du fox Fripouille qui dodelinait de la tête.

*
* *

A 14 heures moins 10, Fidel Juarez, métamorphosé par une barbe courte et noire, contourna dans une pétarade de moto la place du Maréchal-Joffre avant d'aller s'immobiliser sur un parking proche de la plage. Quatre copains casqués et bardés de cuir l'accompagnaient. Sans un mot, ils empoignèrent les longs étuis de toile forte fixés aux cadres de leurs engins. Juarez, pour sa part s'empara d'un énorme sac à dos attaché à l'arrière de sa Japauto et d'un attaché-case. Puis, tous cinq se dirigèrent vers la promenade du Palais des Congrès qui par des descentes en pente douce conduisait à la plage. Accoudés à la rambarde de ciment qui, surélevée, dominait celle-ci, les deux CRS du service de sécurité, en slip bleu et maillot de corps blanc frappé de leur sigle, leur décochèrent un coup d'œil inamical. C'est que ces jeunes motards avaient trop tendance à se montrer exubérants. Or, ici, c'était une plage calme, familiale, bourgeoise, bien fréquentée. Et ces motards qui les envahissaient avaient de ces façons... Sales, hirsutes, relaxes, le mégot et la vanne salace aux lèvres, ils choquaient. Ça ne plaisait pas ici. Sauf aux filles. Mais, celles-ci, faut toujours qu'elles aient le feu au trou de balle. Germain, l'un des CRS maître nageur sauveteur, un gros à peau brune, lança paresseusement à son copain :

— C'est quoi, ces mirontons à ton avis ?

— Sais pas, répliqua Léon, un plus sécot dont les biscotos plaisaient aux dames esseulées et même aux autres. En tout cas, des casse-couilles, plus que sûr.

Ils accompagnèrent de leur attention soupçonneuse l'éloignement des nouveaux venus. Ceux-ci, casque suspendu au bras,

chargés de leurs sacs et étuis, s'étaient aussitôt déchaussés sur le sable et avançaient
vers la mer, en louvoyant entre les chairs
exposées à la cuisson du soleil. Il n'était pas
encore deux heures mais la plage commençait à faire son plein de baigneurs. Il est vrai
que le temps était aux œufs : ciel azur, pas
de brise, ou très peu et un soleil qui rôtissait
les affamés de brunissage. Etre cuit, archi-
cuit, être doré sur tranche, sur nombril, sur
croupion, sur seins nus, était leur rêve à tous
et à toutes. Mais hélas, Dinard n'était pas
Saint-Trop. Et les curetons du cru auraient
tonné le dimanche dans leurs chaires si les
dames en avaient trop exhibé sur les plages.

Fidel Juarez, pour sa part, était loin de ces
futilités. Il entraînait ses gars vers un point
précis, là où des artificiers avaient délimité
par des cordages liés à des pieux provisoires
plantés dans le sable, le long rectangle où ils
étaient occupés à fixer pétards et autres
joyeusetés pour le feu d'artifice du soir.
C'est que le 12 août était l'anniversaire de la
libération de la ville. Aussi, chaque année à
cette époque, danses, défilés se bousculaient
avant la finale du feu d'artifice. Les spécialistes, en tenue de travail, s'activaient près du
camion rouge frappé des lettres de *RUGGIERI*
qui les avait débarqués eux et leurs fusées
multicolores. Ils liaient leurs engins sur des
cadres de bois à des emplacements soigneusement étudiés. Ils connaissaient bien leur
job. Ils avaient tracé leur long rectangle paral-
lèle à la mer qui battait nonchalamment à

deux cents mètres de là. Même lorsqu'elle serait au plein, elle demeurerait encore éloignée
du rectangle, ce qui laissait à l'abri les engins pétaradeurs. C'est pourquoi ce rectangle
de quarante mètres de long sur quinze de
large, devenu zone interdite, était cerné de
poteaux même du côté de l'eau, où des estivants s'offraient au bronzage. Une soixantaine de mètres séparaient cette zone de la
rambarde de la promenade où dans le fond
s'élevait le casino, construction plate et rec-
tangulaire à un étage s'achevant en combles,
trouée de huit ouvertures dans lesquelles, parfois, s'encadraient les visages du personnel
curieux de zieuter les jolies baigneuses. Au
pied de l'interminable rambarde, des
tentes-cabines multicolores s'alignaient,
couvrant toute la plage sur sa longueur. Là
que vivait, se changeait la noblesse bourgeoise du cru et celle des vacances. Leurs tran-
sats, chaises longues, fauteuils de toile délimitaient leur petite surface de sable qui semblait
devenir, pour l'été, leur espace vital personnel. De la promenade, l'œil embrassait tous
les genres : dames proprettes qui tricotaient,
messieurs à souliers blanc nickel et à char-
meuses bien peignées qui somnolaient ou ra-
contaient le passé : le leur. Non loin, les jeu-
nettes, à plat ventre sur leurs serviettes de
bain étalées, creusaient les reins, feignant de
dormir mais en réalité guignant sous leur
bras replié le chipolata du cousin, étranglé
par le slip bleu, rouge ou blanc. Et bien sûr,
il y avait les mamans, les grosses, les lai-

des et aussi les miam miam, blondes et brunes, toutes jolies avec leurs héritiers, héritières. Et si ça braillait ceux-ci ! Frappait dans les ballons ! Si ça jacassait, riait, pleurait, lançait les baballes, faisait des pâtés, recevait des torgnoles et des bâtons de chocolat pour finir par cavaler vers l'eau bleutée à reflets d'émeraude suivis par les appétissantes mamans inquiètes que couvait l'œil cochon des célibataires, sans omettre celui des époux fidèles, bien sous tous rapports.

Fidel Juarez laissa choir son matériel sur le sable sauf l'attaché-case qu'il posa à ses pieds. Redressé, il inspecta autour de lui. D'un large regard circulaire, il enregistra les pédalos qui sillonnaient l'eau, les voiliers aux voiles joyeuses, la foule immense des baigneurs. Il soupira. Il aimait la mer. L'eau était son élément. Il avait stoppé à deux mètres du rectangle sur son côté droit en tournant le dos au casino. Ses compagnons cherchaient son regard, à travers leurs lunettes de motards.

— Ça colle, lâcha-t-il, lorgnant les six ouvriers qui travaillaient sans s'énerver dans le rectangle.

A les observer, on sentait qu'ils en avaient presque fini. Fidel commença à ôter son blouson de cuir noir à bandes rouges qui rappelaient les couleurs de son casque. Les autres, un par un, l'imitèrent. Il y avait Miguel, un Catalan dont le père, du PC espagnol, était mort torturé chez Franco, José, un anarchiste portugais, Victor, un Parisien dont le frère aîné avait été blessé en mai 68. Puis, Chi-Lu, un bridé de Formose. Tous de vingt à vingt-cinq ans. Tous formés pour les commandos. Tous fanas, prêts à mourir pour leurs idées pas très claires. Leur matériel devant eux, leurs blousons ôtés, ils s'accroupirent en cercle, cigarette aux lèvres et patientèrent. Pas longtemps. Dix minutes après, les employés de l'artificier quittaient les lieux dans leur camion, laissant pétards et fusées attachés à leurs cadres de bois, prêts à servir. Respectueux, les estivants ne risquaient pas de s'approcher de ceux-ci, d'autant qu'un des employés restait sur place pour faire la police.

— Allons-y, décida Fidel en se relevant.

Et, son matériel à la main, il enjamba l'une des cordes du rectangle.

— Mais m'sieu ! lui décocha un gosse, à l'air déluré.

— Voyons, monsieur, répéta à son tour l'employé, un brave homme d'une quarantaine d'années en s'avançant vers Fidel.

— Vous vous asseyez au centre et vous n'en bougez plus, intima Fidel.

— Quoi ? fit l'homme, estomaqué.

Il le fut encore plus lorsque Fidel s'approcha à le toucher.

— Si tu bouges, si tu cries, je te tue.

Dans sa main venait de surgir un 7,65 automatique à crosse plate. Il avait agi discrètement. L'homme se recula doucement, comme ivre. Fidel accompagna le recul. Il souriait des lèvres, non du regard, qui, lui, demeurait en alerte.

— Asseyez-vous. Vous allez comprendre dans quelques minutes.

Subjugué, l'employé obéit. Alors, les autres entrèrent en action. Ils franchirent les cordes, disposèrent en rond leurs affaires sur le sable, quittèrent leurs pantalons, apparurent en slip de bain. Et sans s'occuper de personne, accroupis, ils creusèrent une sorte de tranchée circulaire, extirpant de leurs étuis quatre mitraillettes et un fusil mitrailleur qu'ils mirent en batterie. Se faisant front, ils tournaient le dos aux gens dont seuls les plus proches commençaient à s'inquiéter sérieusement quoique encore sans vraiment bien réaliser. Un tel manège ! Et ces armes ! Le groupe de Fidel opéra vivement. Efficacement. Puis, tout à coup, pivotant sur leurs fesses, mitraillettes collées sous le bras, ils firent face aux quatre points cardinaux, protégeant Fidel qui, au centre, assis sur les talons, avait ouvert son attaché-case récepteur-émetteur, près duquel il avait posé un mégaphone ultra-moderne. Des cris, des exclamations commencèrent à jaillir de la plage. Les estivants les plus proches du commando qui venait de se mettre en position au milieu du rectangle n'en croyaient pas leurs yeux. Certains croyaient à une farce. Que penser d'autre ? Preuve, l'un d'eux voulut se glisser sous l'une des cordes. Aussitôt, Chi-Lu, car il s'agissait de son point de surveillance, tira. Une courte rafale. Les balles firent voleter le sable devant les yeux soudain horrifiés de l'incrédule. Sur-le-champ, comme par magie, le silence gagna l'ensemble de la plage. Cela prit deux minutes. Deux minutes qui firent basculer une plage de vacances dans un drame insensé, incroyable. L'incrédule, ménagé volontairement par Chi-Lu, avait vivement reflué en arrière.

— Mon chéri ! avait crié une voix de femme. Tu n'as rien ?

Et tous, depuis, fixaient avec horreur les quatre canons noirs des mitraillettes UZI, braquées dans toutes les directions.

Pour troubler le silence il n'y avait plus que les pétarades des hors-bord sur la mer et la musique criarde d'un disque venant d'assez loin. Enfin, Fidel, bien protégé par les siens, fit signe à l'employé terrorisé qu'il pouvait filer, puis capta la question de Lorice Atafa qui pour lui était, comme pour tous, Thérèse Malloumian.

— OK ? Point 5 ?

— OK, renvoya-t-il, laconique.

— Alors allez-y, Point 5.

Sans plus attendre, Fidel attrapa le mégaphone et sa voix roula au-dessus des centaines et des centaines de têtes.

— Estivants de la plage de l'Ecluse de Dinard, lança-t-elle. Vous avez affaire à un commando de la Lutte pour la Libération de L'homme. Nous vous demandons de ne pas chercher à quitter la plage. Vous devez rester sur place. Ceux qui se risqueront à désobéir seront abattus. Seuls, les enfants en âge de le faire peuvent partir. Les autres, tous les autres sans exception, doivent rester.

La stupeur, l'incrédulité frappèrent les visages. Des cris, des questions, des éclats de rire nerveux, des crises de larmes succédèrent à l'incroyable déclaration.

Les deux CRS sautèrent par-dessus la rambarde de la promenade du Palais des Congrès. Aux fenêtres des maisons, des villas proches, sur la terrasse du casino, des faces se montrèrent, ébahies, frappées de stupéfaction. Ce qui prouvait que la voix du terroriste avait porté loin. Germain et Léon, les CRS, avançaient, arme au poing vers l'endroit qu'à présent tout le monde essayait de distinguer. Les CRS non plus, ne pouvaient croire... Ils doutaient qu'une telle chose puisse être réelle. Menacer toute une plage ? Mais lorsqu'ils furent au bord de la corde, celle côté promenade du Palais des Congrès, ils durent se rendre à l'évidence. Ce commando existait bel et bien, ensablé à demi, menaçant. Germain, emporté par sa fougue leva son pistolet réglementaire qu'il avait pêché dans l'étui qu'il tenait de l'autre main. Il cria :

— Mains en l'air !

Tacata. La rafale expédiée par Miguel traça un pointillé rouge sur son maillot blanc. Léon à son tour voulut... Trop tard. Josef, l'anarchiste portugais l'épiait. Il le toucha par trois fois au cœur. Les deux courageux et imprudents sauveteurs s'écroulèrent au milieu des cris d'horreur, suivis aussitôt de fuites éperdues vers les cabines de toile.

— Attention ! Attention ! alerta Fidel dans son mégaphone. Personne ne doit quitter la plage, sinon...

Il ne put achever sa mise en garde. Sa voix fut couverte par un nouveau *tacata* sec et précis qui lacéra l'air bleuté. En bord de plage, là où elle butait contre la rambarde de ciment, trois corps venaient de tomber, victimes du Point 3, celui tenu par Patrice Voubié dont le FM venait d'intervenir. Les terroristes appliquaient les ordres : nul ne devait quitter la plage. Personne ne devait le faire avant que Pablo soit libéré de Fresnes.

Par le mégaphone, la voix de Fidel Juarez s'enfla :

— Nous vous avons avertis. Personne ne doit quitter cette plage. Personne, sous risque de mort. Vous devez attendre sur place une décision du gouvernement. C'est à ceux qui vous dirigent, et à eux seuls, qu'incombe la responsabilité de ce qui arrive. A eux de décider et à vous de patienter. Je vous répète...

Mais Fidel ne put répéter. Un nouveau *tacata*, plus bref, mais aussi sinistre lui avait stoppé la parole. Vers la mer, côté gauche, un homme qui tentait de fuir en hors-bord venait de basculer, cueilli en pleine tête. Cette fois c'était Julien Vergnaud, responsable du Point 2, qui avait tiré. Et fait mouche. Pas pour rien qu'il était classé champion de tir !

Sur la promenade les curieux qui s'étaient amassés se lançaient des interrogations :

— Mais d'où venaient les coups de feu ?
— Qui ? D'où ?
— De là !
— Où ça ? de là ?
— Là ! Là ! Vous ne voyez pas, là ?

Et, bras tendu, un jeune athlète, qui se trompait, indiquait le haut du casino qui faisait face à la mer et où se montraient les visages des croupiers et serveurs. A son poste au Point 2, Julien Vergnaud s'était redressé. Il n'avait appuyé que trois fois sur la détente du FM. Quasi au coup par coup. Et, chaque fois, sauf peut-être la première où il lui semblait avoir touché bas, il avait fait mouche. En plein crâne. Il n'avait pas à se féliciter. Son FM était ce qu'il y avait de plus sophistiqué : lunette de visée télescopique et procédé infrarouge permettant de tirer même de nuit. A ses côtés, Henri le Basque, un transistor à la main, approuvait en silence. Puis, toujours silencieux, il offrit une Camel. Nul dans le voisinage ne pouvait savoir d'où provenaient les détonations, car Henri le Basque les avait couvertes de son transistor mis au maximum. Vergnaud aspira sur la « toute faite », puis, en retrait de la fenêtre, invisible de l'extérieur, il reprit sa terrible faction. A ses pieds, l'attaché-case ouvert montrait l'émetteur-récepteur ultra-perfectionné. Il abaissa les yeux dessus au cas où la pastille rouge clignoterait, mais rien. Là-bas, de l'autre côté, la responsable de l'opération Pablo avait dû enregistrer son tir mais ne jugeait pas utile de commenter.

C'était mieux ainsi. Moins ils parleraient...
En ce moment pourtant, elle ou ce Georges,
dont il se souvenait mal du nom patronymique qui finissait en I, et qui d'ailleurs était
sûrement faux, devait alerter, comme prévu,
l'Agence France-Presse. Il avait en partie raison. C'était Lorice qui d'un coup de voiture
avait filé hors de la ville pour appeler d'une
cabine publique d'où elle s'expliquait avec
un des responsables de la célèbre agence.

— Ici la Lutte pour la Libération de
L'homme, dit-elle. Vous êtes, je présume,
déjà au courant de ce qui se déroule à Dinard. Bon. Faites en sorte d'alerter le gouvernement français que si Pablo, détenu à
Fresnes, n'est pas libéré immédiatement et
conduit par avion à Alger, le siège de la
plage de l'Ecluse ne sera pas levé.

— Mais qui êtes vous? cria la voix du responsable de l'A.F.P. Qui êtes...

Il ne put que reposer son écouteur. On
avait raccroché. Aussitôt, les télex et télé-
phones entrèrent en piste.

*
* *

Vers Dinard et sa plage, subitement célèbre dans le monde entier, convergeaient par
autos, avions, motos, command-cars, des dizaines de reporters et caméramen. C'était
la ruée. Le scoop pharamineux. L'actualité
fantastique, démente, que les cerveaux mo-
dernes pourtant matraqués par le sensationnel n'arrivaient pas à digérer. C'est que cette

fois... pour aller plus loin dans la dinguerie...
Dans tous les lieux publics ou autres, c'était
l'angoisse, la frousse, la rage et les menaces.
Les peuples en avaient marre des terroristes.
Les gens n'en pouvaient plus d'être menacés,
enlevés, détruits. Eux ne voulaient pas savoir si les causes des autres étaient valables
ou folles. Eux ne voyaient que la leur, de
cause : celle de l'innocence. Chacun se sentait concerné. Nul ne pouvait se vanter
d'échapper à un détournement d'avion, à
une prise d'otages. L'époque était à l'insécu-
rité.

Alertés, CRS, gendarmes, policiers,
convergeaient eux aussi vers la plage meur-
trière.

*
* *

Paul Bontemps versait avec une sorte de
respect une rasade du vieux calva bouilli par
son grand-père dans les tasses de café, lorsque tante Fifi, qui s'était déplacée pour dé-
crocher le téléphone, l'appela.

— Pour té, ma gamin. C'est Marcel.

— Bontemps se dressa à regret. La diges-
tion, la fatigue, il s'était levé de tellement
bonne heure pour relever les nasses, l'en-
gourdissaient dans le bien-être.

— Oui, Marcel, fit-il en bâillant.

Et, il se tut, s'éveilla soudain, cueilli par
un flot de paroles.

— Un drame épouvantable se déroule à
Dinard. La plage de l'Ecluse semble être

quadrillée par des tueurs invisibles. Sauf cinq d'entre eux qui opèrent en plein milieu de cette plage. Tu dois faire route immédiatement vers Dinard. J'ai étudié ton trajet. En deux heures tu dois te trouver sur place. Fonce. Tu as priorité. Deux motards de la gendarmerie viennent te cueillir à ta ferme dans cinq minutes. Je t'appelle de Paris. Un avion du Glam (1) me transporte à l'aéroport de Dinard-Pleurtuit avec ceux de tes gars que j'ai fait rameuter. Bien compris Paul ? Dois-je répéter ?

— Non, bien compris, répliqua Paul Bontemps.

— Alors, à tout à l'heure à Dinard.

Et Marcel Lesombre, ex-patron des Antigangs, devenu directeur adjoint de la PJ, raccrocha. Bontemps l'imita en grommelant.

— Nom de Dieu, il m'a même pas demandé si ma blessure allait mieux.

Puis, vers Patrick Lemaître en revenant vers la table où stagnait la bonne senteur du café, enrichie de celle du vénérable calva du grand-père :

— Pat, en route. *Vamos.* Tu prendras le volant de la BMW. On file à Dinard.

— Mais... commença à se dresser tante Fifi. Tu...

Des pétarades de moteurs lui coupèrent la parole. Deux motards de la gendarmerie, équipés et bottés, s'engouffraient dans la

---

(1) Glam : Groupe de liaison aéroportée ministérielle.

cour, faisant fuir la volaille et aboyer Fripouille.

— Tu laisses ton petit fox ici, ordonna Bontemps. Ça semble pas être du nougat à Dinard.

— Ah oui ? s'intéressa le grand Pat. C'est quoi donc ?

Bontemps ne répondit pas.

Laissant tante Fifi aller au-devant des gendarmes, il se rendit dans sa chambre pour changer de tenue. Cinq minutes plus tard, un sac jeté dans la BMW, il s'adossait au siège tandis que Pat collait aux deux motards qui déjà faisaient des essais de leurs sirènes.

®

	par ampoule de 10 ml
	0,25 g
	0,25 g
...sine	0,25 g
...inate de L-Lysine	0,25 g
chlorhydrate de pyridoxine	0,01 g
phosphate monopotassique	0,06 g
parahydroxybenzoate de méthyle	0,015 g
excipient aromatisé q.s.	

Boîte de 20 ampoules buvables autocassables.   Visa NL 3619

indications

Enfants :
Asthénie. Fatigabilité.
Anorexie.
Déficit pondéral.
Période de croissance.
Convalescence des maladies infectieuses.

Adultes :
Asthénie.
Anorexie.
Convalescence. Fatigues psychique et intellectuelle, surmenage.
Etats de déficience organique.

contre-indications

Insuffisance rénale grave.
Ne pas donner en association avec la L-dopa et ses dérivés, en raison de la présence de vitamine B 6.

effets secondaires

En cas de manifestations diarrhéiques, diminuer la posologie.

posologie et mode d'emploi

Enfants :
au-dessous d'1 an : il est préférable de ne pas administrer le Surfortan aux enfants de moins d'un an.
de 1 à 3 ans : 1 ampoule par jour, à prendre en une seule ou deux prises.
au-dessus de 3 ans : 1 à 2 ampoules par jour
Adultes : 2 à 3 ampoules par jour
Absorber avant ou au cours des repas plus ou moins dilué dans de l'eau. (La solution peut être conservée quelques heures à l'abri de la chaleur).
nota : bien qu'aromatisé, l'excipient aqueux n'est pas sucré, ce qui autorise la médication Surfortan en cas de diabète.

ne pas laisser ce médicament à la portée des enfants

théraplix s.a. 46-52, rue albert paris 13 **rP** rhône-poulenc
locataire-gérant des laboratoires Adrian-Marinier - RC Paris B 916450042

CHAPITRE VII

Le silence, l'angoisse, s'étaient abattus sur la plage de l'Ecluse. Centimètre par centimètre, les plus proches du farouche groupe de Fidel Juarez s'étaient reculés, certains sur leurs fesses. Débouchant de toutes les rues, forces de police et de gendarmerie avaient cerné la zone du casino et des alentours, faisant le vide, empêchant de pénétrer dans cet immense périmètre déclaré *top danger*. Le préfet de l'Ille-et-Vilaine était attendu d'un instant à l'autre. On parlait même du ministre de l'Intérieur qui, abandonnant son fief de vacances, rappliquait à la hâte. C'est que jamais et heureusement, un tel fait ne s'était produit. Il s'agissait de centaines et de centaines, voire de milliers de vacanciers bloqués comme otages d'une façon démoniaque. Et du sang avait déjà coulé. Beaucoup trop. Arrivés de Rennes les premiers, des cracks du GIG (1) avaient pris position en différents endroits et chacun d'entre eux, par lunette de visée interposée, possédait dans sa

(1) Groupe d'intervention de la gendarmerie.

ligne de mire le crâne de l'un des cinq desperados groupés au centre du rectangle où
étaient installés les pétards du feu d'artifice.
Quand le Colonel responsable fut alerté que
ses hommes étaient prêts, il s'empara d'un
micro et sa voix retentit au-dessus des baigneurs terrorisés.

— Ici, le Colonel Gamard de la Gendarmerie Nationale. Je somme le commando
qui occupe la plage de se rendre. Je vous
ordonne de vous lever, d'abandonner vos
armes et d'avancer en direction du casino,
mains sur la tête. Vous n'avez aucune
chance. Si vous n'obtempérez pas dans les
deux minutes qui suivent, je dis deux minutes, je donnerai l'ordre à mes hommes d'ouvrir le feu. Vous êtes dans leur ligne de tir.
Et je vous préviens que ce sont les meilleurs
spécialistes du genre.

Sa voix roula jusqu'à la mer puis décrut
dans le silence. Enfin, elle le troubla de nouveau :

— Je vais répéter mes paroles. Je fais appel au commando qui occupe la plage...

Soudain sa voix fut couverte, dominée par
celle de Fidel Juarez et toutes les attentions
pivotèrent vers le commando de la mort.

— Ici, le responsable du commando de la
Lutte pour la Libération de L'homme. Vous
avez déjà dû remarquer...

Tacata. Des détonations lui coupèrent la
parole. Toutes les têtes, comme par magie,
pivotèrent cette fois vers la droite, là où sur
la mer... Les projectiles avaient touché une

jeune fille en pleine tête, alors que profitant de l'attention du commando qui écoutait le colonel, elle avait tenté de s'éloigner en pédalo. Avec sa tête à la chevelure blonde penchée sur ses cuisses nues, elle semblait interroger le fond du pédalo qui oscillait doucement au gré d'une houle ample et huileuse.

— Oh ! cria une femme.

Une autre se rua.

— Madeleine ! Madeleine !

La mitraillette de Chi-Lu lacéra l'air bleuté et picota le sable devant la femme qui courait. Celle-ci stoppa subitement réalisant enfin ce qui soulevait le sable devant elle. Elle tourna le cou vers le commando. Chi-Lu agita un bras pour un signe de dénégation. C'était simple. Elle ne devait plus s'éloigner, ne plus courir. Sinon... La femme, assez âgée, hésita. Puis méprisant l'avertissement, elle reprit sa course vers la mer, vers le pédalo, vers sa fille... *Tacata*. Les balles de Chi-Lu la touchèrent aux reins. Elle bascula en avant, s'aplatit nez contre le sable. Un cri d'horreur et de pitié escalada le ciel, faisant dévier un vol de mouettes. De la masse des baigneurs, un homme jeune et fort, à la musculature puissante se rua sur le commando, en jurant sourdement. Il était à plus de trente mètres. Il parvint à vingt, continua dans sa fureur. Il ne fut plus qu'à dix. Il avait la rage dans les yeux et dans le cœur. Huit mètres. Il tenait ses poings serrés et son œil fulgurait de haine. Miguel le Catalan, qui le guignait, lui cria :

— Halte.

Le méprisant, l'homme se jeta en avant. Pour tuer. Pour venger. *Tacata.* Les balles de Miguel s'enfoncèrent dans la poitrine bronzée, aux muscles façonnés par le sport. L'homme, sur sa lancée rageuse, fit encore trois mètres puis s'écroula. Il griffa le sable de ses ongles, ses yeux, déjà voilés, fixèrent José, l'anarchiste portugais, le plus près de lui, puis, il eut comme une ruade et... Aussitôt, sans aucune transition, la voix de Fidel Juarez reprit sa déclaration :

— Ce que vous venez de voir confirme ce que j'allais vous dire, Colonel. La plage est peut-être cernée par vos forces mais aussi par les nôtres. Ainsi que vous avez pu le voir, ce n'est pas nous qui avons tiré sur la jeune femme au pédalo. Aussi, je tenais à vous avertir de ceci. Si vos hommes nous abattent, ça sera une tuerie. Les autres commandos de la Lutte pour la Libération de L'homme tireront par rafales sur la plage et ne laisseront guère de survivants. Ce sera un carnage dont vous aurez à endosser la responsabilité. A présent, pour preuve de ce que j'avance...

De sa villa Lorice Atafa venait d'alerter les Points 1, 2, 3, 4.

— A feu, vous tirerez une rafale. Chacun à votre tour en commençant par Point 1. Attention... Feu !

Tacata... Tacata... Tacata... Tacata... Déchirant l'air tiède qui sentait bon les vacances, les quatre FM avaient exécuté l'ordre pour démontrer au colonel de la gendarmerie que le commando de la plage était intouchable. Tabou. Aussitôt, en écho, le colonel reprit son micro.

— Colonel Gamard au commando. Colonel Gamard au commando. J'accuse réception de votre démonstration. On ne tirera pas. Mais je vous demande de ne plus tirer non plus.

La réponse de Fidel Juarez claqua sur-le-champ :

— On ne tirera pas à condition que personne ne bouge. Terminé.

Les voix se turent, l'angoisse se réinstalla sur la plage où jouaient le soleil et quelques enfants inconscients. Parfois, un sanglot poussé par une femme en crise jaillissait des baigneurs, la plupart assis, la tête tournée vers le commando.

*
* *

A Paris, les ministres rappelés d'urgence entouraient le Président « Longue Carabine ». Libérer Pablo était céder à un odieux chantage et ne pouvait qu'affaiblir la position de fermeté adoptée récemment par la majorité des nations et qui était : ne plus s'incliner devant les preneurs d'otages quoi qu'il advienne. Il y allait de l'avenir de la démocratie, sinon l'escalade en violence n'en finirait jamais. Bref, la décision était : tenir et réagir. Facile à dire, à déclamer... Mais à appliquer ? Et, honnêtement, libérer ce Pablo, tête d'affiche du terrorisme qui avait fait trembler la planète, affaiblirait la position de la France. Certains pays, qui n'avaient pas de leurs ressortissants menacés sur une plage ne comprendraient pas, eux. Il fallait donc essayer de faire face. Le Président se tourna vers son ministre de l'Intérieur.

— Vous n'avez pas encore le rapport de vos services ?

— Les brigades anti-commandos arrivent seulement sur place, supervisées par le directeur adjoint de la police judiciaire, Marcel Lesombre. J'attends son premier rapport d'un instant à l'autre.

— Je vous saurais gré, monsieur le ministre de l'Intérieur, de me tenir au courant heure par heure de cette pénible situation.

Et Longue Carabine pencha son haut buste vers un autre de ses ministres qui possédait les plus beaux yeux du gouvernement.

— Nous vous écoutons, madame la sous-secrétaire d'Etat aux Universités.

*
* *

Précédée par d'impérieux hurlements de sirènes, la BMW de Paul Bontemps déboucha place du Maréchal-Joffre. A voir la foule dense, tenue à l'écart, par CRS et gendarmes, à voir des camions, motos et cars disposés en hérisson, l'As des Antigangs comprit que c'était plus que grave. Avertis de son arrivée, les premiers postes de gendarmes qui faisaient barrage se le passèrent les uns les autres, facilitant l'avance de la voiture, toujours précédée par les deux motards. Ceux-ci enlevèrent leurs lourdes machines sur la pente conduisant à la promenade habituellement défendue aux véhicules, puis s'écartèrent avant de faire un impeccable demi-tour. Pat, qui les avait suivis, stoppa la BMW derrière des voitures noires officielles à macarons : celles du Préfet, maires, officiers généraux, voitures radio, etc. Bontemps descendit à la hâte, bronzé, en forme. Il portait un complet bleu en fil à fil, des mocassins noirs et une chemise bleue plus foncée ouverte sur la vieille croix d'or tombant de son cou. Déjà arrivé, son chef Marcel Lesombre se porta au-devant de lui. Les deux hommes se touchèrent la main sans plus de politesse. Ils n'avaient pas à s'en faire. Ils étaient amis.

— C'est un drôle de merdier, Paul, débuta d'emblée le directeur adjoint de la PJ.

Du pouce, Bontemps indiqua sa BMW.

— J'ai entendu quelques flashes en route. Mes gars ?

— Ils seront là dans quelques minutes. Des voitures ont été les chercher à l'aéroport. Moi, je suis venu avec la voiture du Préfet qui m'attendait.

— C'est quoi ? fit Bontemps tout en saluant courtoisement les officiels groupés à quelques mètres de la rambarde en ciment.

— Un commando de suicidaires à première vue. Ceux de cette trop fameuse Lutte pour la Libération de L'homme. Ils sont là-bas.

Bras tendu, Marcel Lesombre désignait Fidel Juarez et ses hommes à demi enfoncés dans le sable qu'ils avaient creusé.

— Et les victimes ?

La question n'était qu'une formule pour dire quelque chose. Bontemps pouvait les apercevoir, tas inertes, dont, apeurés, les gens s'étaient écartés. Quant à la jeune fille au pédalo, elle continuait à osciller mollement sur la houle paresseuse. Bontemps pouvait aussi apercevoir une meute de reporters et cameramen déjà sur place. Ceux-là ! On pouvait leur reprocher un tas de trucs mais certainement pas d'être à la traîne pour les grosses affaires. Pour un beau papelard, une photo exclusive, un film champion ils auraient mis leur peau dans la balance. Ils la mettaient d'ailleurs souvent. Debout, assis, accoudés ou encore allongés sur la rambarde de ciment, ils tiraient des clichés de la plage interdite, la prenant sous tous les angles, cadrant des gros plans sur des faces apeurées, angoissées, curieuses ou même indifférentes. Quand l'un d'eux, s'étant retourné à la recherche d'un film dans sa sacoche, aperçut Bontemps il lança à haute voix :

— Tiens ! le fameux Bontemps !

Aussitôt, la meute vira, fonça vers le chef opérationnel du BRI. Et les questions de fuser, les micros de se tendre. Ils étaient tous là, aussi ces derniers ! RTL. France Inter, Europe I, Radio Monte-Carlo. Et déjà la RAI italienne se faufilait entre TF1 et FR3.

— Alors Commissaire, à votre avis, vous allez les sauter ou quoi ?

— Croyez-vous que le gouvernement va libérer ce Pablo ?

— C'est vous qui l'avez arrêté !

— Qu'est-ce que ça vous ferait si on le laissait partir ?

— Est-ce que, Commissaire... à votre avis...

Marcel Lesombre fit un signe vers le commissaire de Dinard. Celui-ci donna un ordre en indiquant les reporters à un groupe d'agents en uniforme. Aussitôt, sans violence, mais avec fermeté, les journalistes furent repoussés. Ils ne rendirent pas les armes pour autant. Leurs appareils photos et leurs caméras entrèrent en action, mais de loin.

Bontemps, accompagné de Marcel Lesombre et du grand Pat, alla se poster contre la rambarde de ciment. Son œil bleu scruta lentement de droite à gauche toute la plage. Puis revint se fixer sur les hommes du commando de Fidel Juarez. Ils n'étaient qu'à cent cinquante mètres de lui. Pas besoin de jumelles pour les voir. Pourtant, il en réclama une paire. Il la régla à sa vue, détailla les visages des terroristes. Tous portaient des lunettes noires et presque tous des moustaches ou des barbes. Factices ? Peut-être, songea Bontemps. Il se pencha vers son directeur :

— Marcel. Il faut faire tirer les portraits de ces types au téléobjectif !

— J'y ai songé, opina Lesombre, extrêmement élégant ainsi qu'à son habitude.

Un complet gris en flanelle vêtait sa
silhouette nerveuse et des mocassins noirs,
rappelant la teinte de sa cravate, étince-
laient à ses pieds. Il ajouta :

— J'attends les spécialistes d'un moment
à l'autre. Ils arrivent de Rennes et ne de-
vraient plus tarder.

Un brouhaha, des bruits de moteurs, leur
firent tourner le cou vers l'entrée de la promenade du Palais des Congrès : Quatre cars
de police débouchèrent et roulèrent
jusqu'aux voitures parquées. Puis, les gars
des Antigangs en jaillirent, impression-
nants de force et de décision. Tous portaient
leur sac contenant leur gilet pare-balles, des
frusques et leur étui où était rangée leur
arme d'assaut : fusil à lunette, mitraillette
UZI ou PM. Ils étaient une cinquantaine de
coriaces, drôlement équipés et entraînés.
Des prêts à tout. A flinguer comme à l'être.
Le fer de lance de la PJ. A la vue de Bontemps, leurs faces, la plupart bronzées par le
soleil des vacances, s'éclairèrent. Une lourde
caisse de grenades offensives à bout de bras,
Tatave Charrière s'avança, suivi de Toussaint Barani et salua Lesombre :

— Mes respects monsieur le directeur.
Puis vers Bontemps, de sa grosse voix rocail-
leuse :

— Bonjour patron. Content de vous retrouver en forme.

Bontemps les détailla. Eux aussi semblaient en forme. Il est vrai qu'ils suivaient
un entraînement physique sévère et que les

vacances avaient rechargé leurs accus. Bontemps toucha de nombreuses mains puis les laissa à Patrick Lemaître pour rejoindre Marcel Lesombre qui allait vers les officiels postés près des voitures radio reliées par téléphone à Paris. Et là, ordres et contrordres se succédaient. Le préfet du département guettait, espérant le message du gouvernement lui annonçant la libération de ce Pablo. Après, il pourrait pousser un *ouf* de satisfaction et faire évacuer la plage. Et... Et quoi ? Qu'allait-il advenir du commando ? Une fois Pablo libre et en route vers Alger, obtiendrait-on l'ordre de capturer les terroristes ?

— A la place du gouvernement, disait-il, sa haute taille courbée sur le colonel Gamard qu'il dominait, je libérerais ce Pablo. Il faut penser avant tout à ces pauvres gens. Du moins...

Il cessa de parler en voyant Lesombre leur désigner Bontemps. Il lui laissa faire les présentations et reprit, prenant les policiers à témoin :

— Je disais au colonel que si le gouvernement accordait la libération de ce Pablo, nous aurions ensuite toute facilité pour détruire ces terroristes.

Du menton, il indiquait le commando de Fidel Juarez. Bontemps et son supérieur haussèrent les sourcils.

— Oui, oui, enchaînait le préfet, certain de son idée. Et mieux encore. Une fois la plage évacuée, les gens en sécurité, nous n'aurions plus qu'à donner la chasse pour obliger l'avion de ce Pablo à faire demi-tour. Simple, non ?

Bontemps inclina le front par courtoisie. Puis lorgna Lesombre avant de revenir au préfet :

— Ce serait effectivement assez simple, monsieur le préfet. Mais seulement dans le cas où les terroristes, qui me semblent terriblement organisés, n'auraient pas envisagé ce problème. Or, je suis prêt à parier...

Il n'acheva pas. La voix de Fidel Juarez, amplifiée par le mégaphone, s'élevait vers le ciel sans nuages avant de rouler au-dessus des têtes.

— Que personne ne se fasse d'illusions. Surtout pas les dirigeants et les services de police de ce pays. Nous ne quitterons cette position que lorsque nous aurons la certitude que celui dont nous exigeons la libération sera en sécurité à Alger.

Et la voix se tut comme elle s'était fait entendre. Subitement.

— Tu aurais gagné ton pari, sourit Marcel Lesombre, tourné vers Paul Bontemps.

Puis, il pivota de biais vers son chauffeur qui surgissait, précisant une fois immobilisé respectueusement à deux pas :

— Monsieur le Directeur, le commissaire divisionnaire, M. Raymond Tavernier, a enfin été touché sur le chalutier où il a embarqué. Il pense pouvoir être ici, demain matin.

Lesombre remercia et revint à Bontemps.

— A ton avis, comment vois-tu la situation, Paul ?

Ce dernier chercha le regard du colonel Gamard.

— Je crois, mon Colonel qu'il faudrait d'abord situer d'où sont partis les coups de feu.

— Ce ne sera pas facile pendant le jour, remarqua l'officier supérieur.

— C'est mon opinion, acquiesça Bontemps. Pourtant nous le devons. Nous avons des moyens de détection assez perfectionnés pour ça. Du moins, je l'espère.

— J'ai fait contacter Paris, affirma Lesombre. On nous envoie par avion spécial tout ce que réclame la situation.

Une autre voiture qui roulait vers eux les tira de leur conversation. Le visage de Bontemps s'éclaira en voyant descendre Raymond Legendre. Le vieil inspecteur principal était en tenue estivale : pantalon de lin gris, veste bleue à boutons dorés et chemise blanche sur laquelle il portait son sempiternel et légendaire nœud papillon. Sa silhouette trapue, rondouillarde, se matérialisa devant ses supérieurs. Il salua :

— Bonjour, monsieur le directeur. Mes respects, patron.

Bontemps était content. La présence de son fidèle IP lui allégerait le boulot. Le vieux était terriblement efficace et sûr.

— J'étais en vacances du côté de Cherbourg, expliquait-il, quand j'ai entendu le premier compte rendu à la radio. Quel drame ! J'ai aussitôt appelé le bureau et l'état-major. Puis...

De ses courts bras écartés, il faisait voir que tout était réglé, qu'il était venu, obéissant à son devoir. Bontemps lui prit le bras.

— Legendre, faites-vous expliquer par Patrick toute l'affaire. Enfin, tâchez de me dégauchir la position des tireurs qui bloquent la sortie et l'entrée de la plage. Opérez avec doigté, renseignez-vous près des possesseurs de villas.

Legendre allait s'écarter, il le retint.

— Les déceler ne sera peut-être pas facile. Mais si on y parvient cela ne voudra pas dire que tout sera joué, car vu leur façon de faire, ils ont peut-être trouvé une parade en cas de pépins.

— J'ai tout compris patron, fit le vieux en se dégageant. Et mon avis rejoint le vôtre. Ces types ont dû mettre tous les atouts de leur côté. Ce sont des durs.

Il hôcha la tête en fixant au loin le commando de Fidel Juarez à demi enfoui dans sa tranchée circulaire.

— Je n'ai encore jamais vu des types aussi gonflés. Nos pires truands sont des anges à côté.

Il parut mesurer la distance, puis lâcha :

— Patron ! J'aimerais bien les avoir dans ma collection de crânes. Il me semble qu'au téléobjectif...

— Vous les aurez, Legendre. Nous attendons des spécialistes de Rennes.

Legendre opina en silence puis, pirouettant sur ses souliers de toile blanche, il marcha vers les gars qui attendaient à l'écart, sacs aux pieds. Il allait pour leur donner ses directives, quand Bontemps lui cria :

— Legendre ! Vous me gardez Lemaître, Barani, Charrière et Cruséro.

Le vieux acquiesça et scinda le reste de la brigade en deux. Puis il leur expliqua l'enquête qu'ils devaient effectuer sur les villas et les pavillons bordant la plage des deux côtés. Ceci fait, il revint se mettre à la disposition du commissaire qu'avaient rejoint les quatre policiers désignés, ses préférés.

— Il faut monter vos armes et vous tenir prêts, leur disait-il. Vous allez vous poster là-haut, d'où on domine la plage.

Il indiquait le toit-terrasse du casino et les fenêtres ouvertes où s'encadraient les faces curieuses du personnel.

— La position semble bonne, apprécia le colosse ardéchois. Je propose que Pat et moi...

— A mon avis patron, j'aimerais plutôt essayer par la plage. En me faufilant en slip de bain... proposa le grand Pat, et il se mit à mimer par gestes — ... doucement... sans en avoir l'air... Toussaint pourrait venir avec moi.

Bontemps parut étudier la proposition avant de secouer la tête.

— Trop risqué pour l'instant. Ils sont encore à chaud. S'ils s'aperçoivent de la manœuvre, ils peuvent nous bouziller d'autres innocents.

— Sans compter que les gens peuvent s'affoler et vous dénoncer sans le vouloir, intervint Louis Cruséro de son ton mesuré. Les réactions de ces gens angoissés restent imprévisibles. Après tout, ils sont sonnés, traumatisés par ce qui leur arrive.

— Sans oublier, fit Bontemps avec logique, que nous ignorons quelle serait la réaction des tireurs planqués. Et où ils se trouvent. Supposons qu'ils vous repèrent en train de vous faufiler, et ça peut se produire, alors que vous vous glisserez parmi les baigneurs ! Que croyez-vous qu'ils feront ?

— Ils nous allumeront, remarqua le Corse.

— Evidemment, renvoya Bontemps. Et s'ils ne tiraient que sur vous ! Mais, c'est aux autres que je pense. A tous ces pauvres gens...

— Merci pour nous, grommela, le grand Pat.

— Tu dis ? fit Bontemps, le fixant, sourcils froncés.

— Rien, rien, bougonna le « Grand ». Je disais que nous on était payés pour se faire descendre.

— Exactement, répliqua le commissaire. Exactement ça. Vous êtes payés pour. Et en attendant votre enterrement...

Il s'interrompit, car le colonel Gamard les rejoignait.

— Commissaire, intervint-il. Je crois savoir que vous envisagez de poster vos hommes en haut de la terrasse du casino ?

— C'est juste, reconnut Bontemps. Vous êtes contre ?

— Absolument pas, Commissaire. Mais j'y ai déjà mes meilleurs tireurs du GIG.

Les yeux de Bontemps allèrent chercher le toit plat du casino.

— Oh ! vous ne pouvez les voir ! se récria le Colonel. Ils sont entraînés à rester le plus invisibles possible.

— Félicitations, capitula Bontemps. Alors, je puis disposer de ce groupe qui me reste. Inutile d'avoir des tireurs d'élite en doublon.

— C'est ce que j'allais vous suggérer, Commissaire, fit le colonel.

Bontemps remercia et, le front barré d'une ride, il se mit à réfléchir tout en suivant machinalement la svelte silhouette du colonel qui allait rejoindre le commandant de CSR qui revenait d'inspection. Enfin, il lâcha :

— Pat. Ton idée de vous infiltrer dans la foule des baigneurs était bonne. Mais pas avec des tueurs planqués on ne sait où. Donc, il faut d'abord en savoir un peu plus. Pour l'instant...

Il reporta son attention sur les officiels que Marcel Lesombre était allé retrouver avant d'achever :

— ... je vous conseille d'aller renforcer vos copains et de tenter de dégauchir ces tueurs embusqués. Exécution. Renforcez les autres. Et allez-y sur des œufs. N'écrasez rien.

— Vous voulez parler des dahlias et des rosiers qui ornent les parcs et les jardins ? se renseigna suavement Barani en abaissant le regard sur les chaussures de l'Ardéchois.

Cruséro retint un gloussement. Quant au colosse ardéchois, il rugit :

— Je sais à quoi vous pensez, bande de cloches ! Mais je fais moins de dégâts que vous en dépit de mes...

Malgré lui, il imita ses amis et son œil s'abaissa sur les 46 fillette qui le chaussaient et que tous fixaient, même Bontemps, depuis la réflexion du Corse.

— Je suis sûr qu'avec tes grands panards tu pourrais marcher sur l'eau, décocha Pat, l'air sérieux.

Des rires les secouèrent, sauf le commissaire qui grommela en pêchant une plaque de Zan dans sa poche de veston.

— Arrêtez de déconner. Rien ne vous arrête donc ? Même dans les pires situations faut que vous déconniez ? Allez, filez. Et toi Tatave, remets ta caisse de grenades dans l'une des voitures.

Puis, les plantant là, il alla vers la rambarde que les CRS étaient parvenus à dégager totalement. Il allait s'y accouder quand un bruit de pas le fit se retourner. C'était l'inspecteur principal Legendre qui avait assisté au départ de ses équipes.

— Patron. Il m'est venu une idée.

Bontemps lui fit face.

— Oui, Legendre...

— Et si nous attendions la nuit ? Si nous

nous contentions d'attendre l'obscurité ? On pourrait alors faire dégager la plage !

— J'y ai pensé, Legendre. J'ai pensé à ça, mais...

Il inspecta le ciel.

— ... mais rien ne dit qu'il ne fera pas un beau clair de lune... Et rien ne dit que les autres n'y ont pas songé non plus.

Legendre allait se retirer, Bontemps le retint.

— Pourtant c'est à envisager, sérieusement. On pourrait tout au moins faire s'échapper les gens les plus éloignés du commando. Ceux qu'ils ne pourront voir s'il fait nuit noire. Et ses yeux revenant au rectangle de corde qui, à cent cinquante mètres d'eux, recelait les hommes de Fidel Juarez, il poursuivit :

— Drôles de zèbres, Legendre. Je me demande ce qui peut bien les motiver à ce point ?

— L'idéal, hasarda le vieux.

— Drôle d'idéal alors ! Fait de destruction, de morts...

— Tous les idéaux ont pour base de départ la destruction, renvoya sagement le vieux policier.

Bontemps cessa de suçoter son Zan et tourna le cou vers le vieil inspecteur principal. Il le fixa avec curiosité, puis soupira longuement avant de reporter son attention sur le commando dont les culasses des armes automatiques réfléchissaient la lumière du soleil.

CHAPITRE VIII

Yasser Youssef dévalait sur une mobylette la promenade Robert-Surcouf lorsqu'il se heurta à un barrage de CRS. Leur chef le salua d'un doigt à sa casquette plate.

— Vous allez où, monsieur ?

— Au centre nautique, monsieur, renseigna poliment Yasser.

Il s'était changé, était nu-pieds dans des espadrilles blanches, portait une chemise à grosses fleurs jaunes tombant sur un pantalon crème.

— Et vous habitez de ce côté-ci ? interrogea encore le sous-officier.

— Oui, monsieur. Une villa à la pointe du Moulinet.

— Vous avez des papiers d'identité ? réclama le chef des CRS. Je m'excuse mais les ordres n'est-ce pas... vu les événements...

Yasser s'exécuta de bonne grâce. Il tendit une carte au nom de Georges Ceccaldi. Le CRS la vérifia, rendit le document, resalua :

— Merci monsieur. Vous pouvez passer.

— C'est que... hésita Yasser. Je dois revenir ! Est-ce que...

Le CRS sourit :

— Aucun problème monsieur. A présent nous nous connaissons.

Et il s'effaça, imité par ses hommes armés de mitraillettes. Yasser remonta sur son engin et redémarra. Dans un tournant, il tâta du coude le 7,65 Parabellum enfoncé sous sa ceinture de pantalon et que dissimulait la chemise à fleurs. Durant la vérification, en dépit de son automatique, il n'avait pas bronché d'un cil. Il avait l'habitude et le goût du risque. Un coriace. Cinq minutes plus tard, il s'immobilisait au centre nautique. Abou Vitof était là comme convenu. Il était en tenue de navigateur de plaisance : casquette blanche dorée, pantalon blanc et veste bleue à boutons également dorés qui rappelait celle de l'inspecteur principal Legendre. Ils s'écartèrent d'un groupe d'enfants qui braillaient de joie en faisant rouler une vieille bouée de sauvetage et échangèrent quelques mots en arabe.

— Tout est paré ? se renseigna Youssef.

— Tout comme convenu, rassura Abou. Les deux puissants hors-bord sont prêts à vous recueillir quand l'heure sera venue.

En répondant, il avait dirigé son regard vers les embarcations mentionnées, fixées non loin de l'embarcadère des vedettes.

— Pas de problème, alors ?

— Aucun. Sauf que peut-être ce bateau de guerre...

Il n'eut pas à désigner l'escorteur d'escadre gris, long et racé. Celui-ci se découpait sur l'horizon. Il était là, depuis peu, appelé certainement à cause du drame. Mais que pouvait-il faire ? Ce que souleva Yasser :

— Même s'il est là pour nous, il ne peut pas bouger. Et, t'inquiète pas, il sera bien obligé de nous laisser filer. On les tient.

Il exhiba deux cigarettes où le H se mélangeait au tabac US, en offrit une à Abou, les alluma d'un briquet d'or blanc.

— Les voitures ? s'informa-t-il après avoir tiré avec volupté sur son tube de tabac.

— En place à côté de la crique choisie. Pas de problème là non plus. L'un des nôtres les surveille. Il les a logées dans un parking de campeurs.

Yasser se baissa, ramassa la bouée que les gosses leur avaient balancée dans les jambes et informa :

— Je remonte. Toi, tu restes en contact permanent par émetteur-récepteur.

— Tu penses que le gouvernement va céder et libérer Pablo ?

Il suivait d'un œil noir et luisant les volutes de sa cigarette.

— A la longue, oui, déclara Yasser. Ils sont obligés, ou le seront. On ne lâchera pas avant.

— Ça peut faire du dégât.

— Ça en a déjà fait, non ?

Et, en français, car un couple s'approchait d'eux à les frôler, entraînés malgré eux par un bouledogue qui furetait en bavant :

— Cher ami, j'ai été ravi de savoir que

votre petite croisière s'annonçait bien. Et je vous rappelle de me téléphoner dès votre retour. A bientôt, donc.

Il serra la main d'Abou et alla récupérer sa petite moto.

Un quart d'heure plus tard, après avoir de nouveau franchi le barrage des CRS, il pénétrait dans la villa louée par Lorice. Il retrouva celle-ci sur la terrasse à côté de la table de jardin qui supportait des jumelles.

— Je t'ai vu parler à Abou, dit-elle. De cette place on voit tout.

Effectivement de la terrasse qui dominait d'un côté la plage de l'Ecluse, de l'autre la cale et le débarcadère des vedettes reliant Saint-Malo à Dinard, la vue était exceptionnelle.

— Tout est OK en bas ? demanda-t-elle.

— Pas de problème, rassura-t-il, la violant de ses yeux de feu. J'ai envie de toi Lorice, ajouta-t-il, brutal. J'ai envie de te baiser, femme.

Elle se recula en le défiant.

— Si tu oses... si tu m'effleures seulement le bras...

Il rit. Un rire puissant à la mesure de sa force trapue.

— Tu me tues ? C'est ça n'est-ce pas ?

— Je te tue, Yasser. Ou si je ne le fais pas, Pablo le fera.

— Car tu lui diras ?

— Je lui dirai Yasser. Tout. Tu es un...

Elle n'acheva pas l'insulte. Un *tacata* lacérant l'air embaumé et calme venait de lui couper la parole. Tous deux tournèrent vivement la tête vers la mer. Là-bas, de l'autre côté, un nageur semblait piquer du nez dans l'eau. Mais il ne réagissait plus. Il flottait nez en avant, bras amollis, sans réaction. Mort. Autour de lui, l'eau se teintait de son sang. Ça ne pouvait être que Christian Marquette qui de par sa position... Jumelles aux yeux Lorice se mit à fouiller les arbres. Mais rien. La villa qu'occupait Marquette était dissimulée par la verdure. Elle fit pivoter les jumelles sur la plage, les gens s'étaient de nouveau figés dans l'horreur. Par les lentilles, la belle terroriste apercevait nettement une femme qui hurlait de frayeur. Elle ne pouvait l'entendre, bien sûr, vu la distance, mais elle voyait ses traits convulsés, sa bouche ouverte. Elle abaissa légèrement ses doigts, inspecta alors les abords du casino.

— Ils ont l'air de vouloir réagir, énonça-t-elle. Voici une autre voiture à cocarde qui s'arrête. Et... Elle conserva ses jumelles braquées dans la même direction, ajouta, hésitant un peu : On dirait, le ministre de l'Intérieur ! Du moins d'après les photos de presse.

Elle rabaissa les jumelles, les tendit à Yasser et, montrant un transistor sur la table, qui marchait d'un son étouffé :

— Europe 1 a annoncé son arrivée imminente. Eh bien, il est là, à ce qu'on dirait.

— Tu crois que ça va changer quelque chose ?

Elle haussa les épaules, libérant en partie

un de ses seins magnifiques, ce qui fit loucher Yasser.

— Ils ne peuvent rien faire. Rien qu'obéir à l'ultimatum et libérer Pablo.

— Tu as hâte de le revoir libre, hein ? lança-t-il, l'œil flambant d'envie d'elle.

— On a monté l'opération pour qu'il le soit, non ?

La voix de la femme avait claqué.

— On l'a montée pour, opina-t-il sincère. Mais avant, je t'aurai. Avant que Pablo soit libre, je te niquerai.

Il avait sciemment utilisé le mot cru et grossier, pour lui faire savoir qu'il ne reculerait plus. Même devant la menace que pouvait à présent impliquer pour lui le retour parmi eux de Pablo.

— Il te tuera, dit-elle, méprisante et fière. Même si tu fais pas ce que tu viens de dire et tu le feras pas, il te tuera. Car tu as dit le mot. Et pour Pablo c'est comme si tu l'avais fait.

Il rit, feignit de s'écarter puis sauvagement, en grondant, il la happa. Il l'avait piégée. Elle sentit contre ses seins à demi dévoilés son torse épais, velu, que livrait la chemise à fleurs ouverte jusqu'au nombril. Elle chercha à rire. Mais, il la tenait, l'impressionnait de ses muscles lourds et durs. Elle tenta de dérober ses lèvres qu'il cherchait à écraser de sa bouche. Elle n'y parvint pas. Elle sentit une odeur d'ail ou d'oignon, renforcée de tabac blond, s'infiltrer dans sa gorge alors que les énormes moustaches noires lui chatouillaient désagréablement la peau. Elle voulut bouger et à tout prix éviter son contact. Mais il la bloquait de partout, à l'aide de ses mains puissantes, de ses coudes et de ses cuisses compactes comme du fer. Ses dents à lui butèrent contre les siennes et le choc la fit gémir. Il gronda, rendu fou de la sentir si près, si livrée.

— Je vais te niquer. Maintenant. Tu vas être à moi belle salope.

Ses yeux verts plongés dans les siens, elle réussit à lâcher :

— Cochon.

Il rit. Il frottait contre le léger jean qui la vêtait son membre affamé d'elle, rigide et brûlant comme un pain sortant du four. Elle se secoua encore, rua. Il lui bloqua les reins de l'avant-bras gauche et de sa main libre il lui empoigna la croupe. Goulûment. De sentir sous ses doigts l'élasticité de ses fesses l'affola encore plus. Il la courba en arrière. De force. Les longs cheveux de Lorice Atafa cascadèrent sur le dallage de la terrasse et sa poitrine soudainement libérée par l'échancrure du boléro jaillit les pointes dardées vers le ciel. Il y porta voracement les lèvres, les parcourut en tous sens, en mordilla les pointes brunes et enfin haleta :

— Je te l'avais dit... Je te l'avais dit...

Tel un serpent, elle tenta de se glisser hors des cuisses autoritaires et des bras affamés qui la piégeaient. Il la ramena contre lui de sa main plaquée à sa croupe nerveuse. Brutalement. Puis sa main descendit plus bas et parvint à se loger entre les cuisses de la jeune femme qu'il souleva presque du sol. Elle eut comme une réaction rageuse, puis s'abandonna mollement, n'offrant plus de résistance. Dans un grondement, il se mit alors à lui parcourir la poitrine de sa bouche enfiévrée. Puis, il murmura contre sa chair tiède :

— Enfin, bien sage, belle Lorice. Enfin docile, hein, ma jolie garce ?

Toujours rejetée en arrière, maintenue par son avant-bras et la main qui lui écartelait les cuisses, elle gémit :

— Laisse-moi... laisse-moi Yasser... S'il te plaît.

Sa voix avait changé, était devenue rauque, comme si à son tour le désir... Il gloussa de joie, frotta plus fort son sexe contre elle. Allons, elles y venaient toutes ! Question de virilité à leur offrir. Et lui, Yasser, de ce côté-là... Le corps secoué par son envie, il lui lâcha la croupe et vivement, glissant ses doigts entre leurs corps soudés, il libéra son membre. Pour mieux le lui faire sentir. Pour mieux l'entendre gémir. Pour qu'elle en arrive à le supplier de la prendre. Ses yeux sombres étincelèrent à cette pensée. Elles étaient toutes les mêmes : des garces.

— Non, Yasser, suppliait-elle. Non...

C'est qu'il venait de la reprendre sous la croupe et s'amusait de son sexe à mimer l'acte d'amour.

— Non, Yasser... s'il te plaît.

Allons, allons. Elle y était venue. Comme les autres. Et lui, son Pablo, où était-il à

présent dans son esprit ? Hein ? Pffuit ! En-
volé Pablo. Liquidé Pablo. Et qu'avait-il fallu
pour ça ? Rien. Trois fois rien. Ou plutôt si.
Le terrible membre qui allait jusqu'à terrifier
les putains. Il rugit de mâle fierté quand il perçut sa jolie main à elle qui doucement se lo-
geait entre leurs chairs, glissait le long de leurs
ventres, et... et... les longs doigts chauds
et vivants descendirent plus bas. Encore
plus bas. Puis... Ah ! cette fois il la tenait. Il la
niquerait. C'était inéluctable. Elle qui allait
le lui demander. Elle qui allait l'implorer.
Pourquoi avait-elle fait tant de manières,
tant de menaces pour en arriver là ? Car elle
en était arrivée là où les femmes en arrivent
lorsqu'elles ont envie d'être prises, pénétrées.

Palpé tout à coup par les doigts tièdes, son
membre parut sauter et enfler.

— C'est ça que tu voulais, belle Lorice à
Pablo ? haleta-t-il, l'œil fou, lui dévorant la
poitrine et le ventre de baisers voraces. Ça
que tu...

Puis, il hurla. Un cri de douleur qui fit
s'enfuir les oiseaux perchés dans les branches d'un énorme tilleul. Même les mouettes qui planaient parurent saisies et disparurent vers la plage. D'un coup de reins la
jeune terroriste s'était enfin dégagée et, re-
culée de deux pas, elle contemplait cruellement Yasser qui tombé à genoux se tenait le
bas-ventre, là où elle lui avait écrasé de ses
doigts vengeurs et implacables les *cojones*.
La souffrance avait amené des perles de
sueur au front et à la chevelure noire et

bouclée de Yasser. Puis, la douleur s'estompa lentement, lentement et il leva le front sur elle, toujours debout, toujours cruellement présente.

— Fille de pute, éructa-t-il. Fille de fille de pute. Je vais...

Dans un effort qui lui amena une autre giclée de sueur, il essaya de se dresser mais il retomba, se tenant toujours le bas-ventre. Puis, tendant de nouveau sa volonté, il y parvint. Et marcha sur elle, une écume blanchâtre aux lèvres.

— Salope de salope. Je vais te crever et te...

Les sandales de cuir de Léa, la Française qui les servait et veillait aussi à ce qu'on ne les dérange pas, claquèrent sur le dallage. D'un coup d'œil elle enregistra la scène : les yeux hagards de Yasser, l'attitude farouche de la jeune femme.

— Thérèse, appela-t-elle doucement.

Pour elle, Lorice Atafa était inconnue. Le cloisonnement ne lui avait laissé savoir qu'un nom : Thérèse Malloumian. La jeune femme, toujours sur le qui-vive, se retourna et attendit la suite.

— Y a des hommes en bas. Deux. Ils voulaient savoir qui habitait ici.

— Eh bien, tu leur as expliqué ce qui était convenu ? Nous sommes des gens en vacances.

— Oui. Mais ils insistent pour vous voir.

— Ce sont quoi ?

— Des policiers en civil. Même qu'ils sont plutôt...

Vite, Lorice fit signe à Yasser d'aller planquer l'attaché-case émetteur-récepteur, les jumelles et son Parabellum qu'il avait posé sur la table de jardin. Puis elle fit un autre signe vers Léa.

— Fais-les entrer. Mais par le jardin.

Peu après, le gravier cria sous les pas de Patrick Lemaître et d'Octave Charrière.

— Madame, s'inclina le grand inspecteur. Nous sommes désolés. Mais nos supérieurs veulent savoir qui occupe les propriétés de la pointe du Moulinet.

— Pour les protéger éventuellement, mentit le colosse ardéchois. Car, vous devez savoir, madame, le drame qui s'est abattu sur Dinard.

La jeune terroriste indiqua le transistor.

— Les radios ne cessent d'en parler. Et puis...

Son index bifurqua vers la gauche, vers la plage.

— C'est horrible ! Vraiment trop horrible.

Le grand Pat acquiesça, tout en notant les traits de l'homme comme crispés par une douleur récente.

— Oui. Il s'agit d'un commando terroriste. Des fous dangereux.

Il sourit comme lui seul savait le faire, un sourire à se faire pâmer même les putains les plus rétives.

— Madame... je suis navré... mais... si vous acceptez de m'indiquer votre identité, ainsi que monsieur...

Et il exhiba un carnet, alors que Tatave s'informait :

— Vous êtes propriétaires ou...

— En location, messieurs, répliqua Yasser.

Il comprenait qu'il ne devait plus rester neutre. Sinon ça semblerait bizarre. Et de lui-même, spontanément, il tendit une carte d'identité. Oh ! Il pouvait ! Ce document était de première. Les spécialistes qui leur fabriquaient ça étaient des cracks, formés par les services secrets cubains et chinois. Les fausses valaient les vraies. Du moins, si on ne poussait pas trop, trop loin l'expertise. Tatave en prit note, rendit le document.

— Georges Ceccaldi, directeur d'agence de voyages à Nice, dit-il relisant pour lui-même.

— C'est ça, monsieur l'inspecteur, approuva le terroriste.

— Origine corse ? s'enquit le colosse de l'Ardèche.

Yasser amena un sourire cordial sur sa face, que la souffrance avait creusée à la commissure des lèvres.

— Origine corse, oui. Comme beaucoup de Niçois.

Pat releva vivement les yeux de la carte que lui avait apportée la jeune femme.

— Je croyais que beaucoup de Niçois étaient d'origine italienne ?

Un gros rire secoua le colosse qui avait les pieds nus dans des sandales de cuir.

— On voit que tu te souviens de ton histoire de France ! Le comté de Nice a été cédé à la France en... en... en...

— Mille huit cent soixante, précisa Yasser. Par la maison de Piémont à Napoléon III.

Les deux policiers, étonnés, le fixèrent. Rien que cette précision historique pouvait accréditer la carte d'identité. Ce qu'ils ignoraient c'est que les commandos à l'échelon responsable ne laissaient pas grand-chose au hasard. On les obligeait à étudier les endroits d'où ils étaient censés être issus et où ils étaient censés travailler.

— C'est bon, fit Pat en rendant la carte d'identité au nom de Thérèse Malloumian à Lorice Atafa. Nous vous remercions et nous excusons encore.

— Et si vous apercevez quoi que ce soit de suspect, peut-on vous demander d'alerter la police à ce numéro ? ajouta l'Ardéchois.

Il griffonna des chiffres sur une page de carnet et la tendit, après l'avoir arrachée.

— Et, merci encore, madame, monsieur.

Pat et lui saluèrent et, guidés par Léa qui les avait attendus, ils rejoignirent la jeep de gendarmerie qui les avait amenés.

*
* *

Ernesto, accoudé nonchalamment à une fenêtre du manoir, fumait rêveusement, observant distraitement la mer. Puis, son œil d'un marron foncé plongea au-dessus des arbres qui les séparaient de la maison voisine. Et il sursauta.

— *Dio porco*... est-ce que...

D'une jeep militaire venaient de se laisser glisser trois civils. A son volant, le gendarme, lui, ne broncha pas. Ernesto ne les vit plus durant qu'ils se présentaient à l'entrée. Du moins le supposa-t-il, car ils réapparurent dans une allée, puis disparurent à un tournant. Vite, le Colombien grimpa jusqu'aux combles et pénétra dans la petite pièce incluse dans la tourelle carrée. Hervé Le Bollec, torse et pieds nus, vêtu d'un short, fumait, les doigts sur la détente du FM, l'œil sur la plage de l'Ecluse. A ses pieds la valise radio était ouverte à côté d'un projecteur encore dans sa boîte. Il se retourna à l'intrusion du pistolero colombien.

— *Qué hombre ?*

— *Policials*, laissa choir Ernesto. A côté.

Hervé réagit vite. Il indiqua le FM et le matériel.

— Surveille et capte les messages si on appelle. Tu sauras ?

Le Colombien sourit des lèvres, non du regard, qui restait vigilant et cruel.

— Et si ça tourne mal... continua Hervé, tu nous rejoins, FM à la hanche. *Comprender ?*

— *Bueno*, répliqua l'homme.

Lui et son frère Ramon avaient vingt-deux ans à tout casser. Le meurtre, les révolutions et les attentats étaient leur raison de respirer. Hervé dégringola les marches, tomba sur Ramon qui somnolait, un long cigarillo aux lèvres.

— Vite *hombre*, lança-t-il. *Policials !*

Il montrait de son P 38, qu'il avait raflé

avant de descendre, la villa voisine, invisible d'où ils étaient.

— Les *gentes* ? jura-t-il encore.

— Toujours *aqui*, dit Ramon, indiquant la porte auprès de laquelle il s'était installé sur un fauteuil. La *mujer* elle cuisine.

Hervé bondit.

— Madame, jeta-t-il, s'engouffrant dans la vaste cuisine installée sur les arrières.

Evelyne Barave se retourna. Elle était plutôt grande, était sèche, avait l'air décidée, pas affolée du tout et en plus certaine de sa position sociale, de sa foi en Dieu, de l'avenir de son pays et de la défaite des méchants.

— Monsieur ? fit-elle.

— On vous a laissée ici après vous avoir avertie que si vous ameutiez du monde on tuerait votre famille.

— Je n'ai pas bronché que je sache !

Il secoua la tête.

— Ce n'est pas ce que je veux dire. Mais les flics vont sûrement venir. Aussi...

— Aussi ?

Une cuillère à la main, elle le toisait, soignée dans sa robe d'été sur laquelle elle avait noué un tablier coquet. Il précipita le coup :

— Aussi, je vous demanderai de rejoindre les vôtres. On va les libérer. Mais seulement le temps de recevoir les flics.

Elle poussa un léger soupir. Peut-être qu'en cette occasion elle pourrait... ou l'un des siens pourrait... Il la ramena hors de ses rêves.

— L'un de nous gardera en haut le plus

jeune de vos fils. Et si l'un des vôtres bronche, parle ou fait quelque chose pour nous nuire on l'étrangle aussitôt. Clair ?

Il n'attendit pas la réponse et l'entraîna. Une mère ne marchande jamais la vie de son enfant. Du moins celles qui sont réellement des-mères. Les autres... les ordures...

Il alla à la porte condamnée, l'ouvrit, avertit alors que Georges Barave sortait du réduit en se frottant les yeux :

— Les flics vont sûrement venir et doivent avoir appris par la mairie combien vous êtes ici. En tout cas on peut le penser. A vous de les recevoir et de jouer le jeu.

Les garçons, qui eux aussi clignaient des yeux à la lumière du jour, ne purent voiler l'espoir qui venait de se lever en eux. Hervé les doucha et sous les lunettes teintées, son œil jeta un éclair.

— Si l'un de vous commet un impair, lui sera abattu.

Et, sans cesser de les mettre en joue, il allongea le bras, happa le jeune Pierre Barave. Les quinze ans de ce dernier voulurent se rebiffer. Hervé Le Bollec le gifla. Durement. Les autres eurent comme une amorce de révolte. Deux canons de pistolets se dressèrent entre eux et leur cadet.

— On ne bouge plus, menaça Hervé. Et on obéit. On raconte aux flics que tout va bien. Que le soleil est beau. Et que le drame qui agite la plage est triste, triste...

Puis, propulsant le garçon vers Ramon :

— *Vamos.*

Et, de son arme, il lui indiqua les otages. Canon braqué dans les reins, Pierre marcha vers l'escalier. Avant de l'escalader, il cherha les yeux de sa mère. Mains jointes, elle le contemplait, un frémissement aux lèvres. Puis, elle inclina son front. Il lui sourit et monta. Elle poursuivit la prière qu'elle avait entreprise. Hervé Le Bollec attendit un peu, puis les balaya du regard.

— Vous tenez la vie du garçon entre vos doigts. Nous...

Il eut un mouvement méprisant des épaules signifiant qu'ils étaient indifférents à la mort. Puis, il se glissa dans le réduit, ne le referma pas tout à fait et s'adossa au mur d'où pendaient des balais.

Trois minutes s'écoulèrent et Louis Cruséro, accompagné de Yves Le Bannec, pénétrait dans l'immense living d'où on apercevait la mer et où dans le lointain, au-delà de l'escorteur immobile, gris et menaçant, couraient des voiliers aux couleurs vives. Raoul Villa (1) les accompagnait.

Louis Cruséro, l'un des favoris de Bontemps, était en tenue estivale mais restait digne et sérieux selon son habitude.

— Messieurs dames, salua-t-il courtoisement. Vous nous voyez désolés de vous importuner mais il s'agit d'une vérification... plutôt de renseignements concernant les occupants des villas.

— Des mesures qui se rapportent au

---

(1) Les Antigangs 1.2.

drame affreux qui se joue en ce moment sur la plage, renchérit Le Bannec.

— Nous nous en doutions, messieurs, les excusa Georges Barave.

L'industriel n'était pas à l'aise. Moins que son épouse en tout cas qui, elle, encaissait plutôt bien.

— Vous appartenez à quel service ? s'enquit-il.

Cruséro présenta une carte barrée de tricolore.

— La BRI de Paris.

— La BRI ?

L'industriel avait eu un froncement de sourcils.

— Mais les Antigangs, papa ! lui précisa Paul, son second fils. Les fameux Antigangs !

— Ah oui ! fit l'industriel. Je vois. Que puis-je donc pour vous, messieurs ?

— Trois fois rien, dit Cruséro. Nous préciser si vous n'avez rien remarqué de particulier ces jours derniers, chez vos voisins... dans votre entourage... Bref, si vous pouvez nous donner un indice quelconque.

— C'est qu'il y a des tireurs de disséminés sur les deux côtés de la plage, précisa Le Bannec.

— Et on voudrait bien les situer, pour les éliminer, renchérit Cruséro.

Mais l'industriel les écoutait mal. Il songeait à son dernier qui, là-haut... et aussi à ce type à lunettes qui derrière la porte du réduit... qu'un geste à faire, un mot à dire et... Il prit sa respiration.

— Georges.

Evelyne Barave avait parlé doucement. Mais sous l'intonation il y avait un rappel à l'ordre en même temps qu'une supplication. Louis Cruséro sourcilla.

— Vous avez quelque chose à signaler, monsieur ?

L'industriel fixait sa femme qui, mains toujours jointes, semblait encore prier. Qu'allait-il faire ? Et Pierre là-haut ? Il devenait fou pour avoir songé à parler. Il agita la tête.

— Non, non rien de spécial. Si ce n'est que c'est affreux. Tous ces pauvres gens... abattus lâchement...

Il avait laissé choir l'insulte sciemment. Tant pis si le tueur à côté le prenait trop mal. Au moins lui aurait-il fait savoir ce qu'il pensait de lui et de ses complices. Il ajouta :

— Une telle tuerie sous une motivation politique ne se justifie pas.

— Il n'y a qu'à libérer ce Pablo ! intervint Jean, l'aîné.

Il avait lancé les mots avec la fougue de son âge. Louis Cruséro lui jeta un bref regard. Ces jeunes ! Il était prêt à parier que celui-ci n'était pas loin d'approuver les terroristes. Et s'il leur faisait un reproche ce ne pouvait être que celui de tuer. Et encore. Les enfants de Cruséro lui-même étaient bien capables d'épouser les théories utopiques des membres des trois L. Il sortit une Gitane, la rangea. Mais l'industriel l'en pria :

— Vous pouvez, monsieur l'inspecteur.

Louis Cruséro ne profita pas de l'invite. Il
se tourna vers Raoul Villa, lui souffla :

— Va dans le parc. Essaie de voir à droite,
à gauche... Et à Le Bannec : Tu prends les
noms, et tu vérifies.

Puis revenant aux Barave.

— Vous êtes au complet ou bien...

— Nous sommes au complet, assura la
femme, comme émergeant de sa prière.

Le Bannec qui consultait une liste, releva
le front.

— Mais on nous a annoncé que vous étiez
cinq. Le père, la mère et trois garçons.

Une rougeur se répandit sur les traits de
l'industriel. En revanche, sa femme ne se
démonta pas.

« Comme elle sait mentir ! » s'étonna-
t-il.

— Ah ! oui, c'est vrai ! disait-elle. Pierre
est resté chez des amis.

Et comme les policiers la fixaient, attendant.

— Pierre est notre plus jeune fils.

Cruséro enrégistra le malaise répandu sur
les traits des garçons. Son œil alla d'eux à la
mère qui enchaînait :

— Il est en mer, depuis ce matin et ne
rentrera que ce soir. Tard.

— S'il rentre, maman, l'épaula son mari
qui s'était enfin secoué. Tu sais bien qu'avec
les Darieux...

Elle amena un sourire sur ses traits encore
jeunes que la vie avait épargnés.

— Il s'agit d'amis chez qui mon cadet est

comme chez lui. Vous comprenez, monsieur l'inspecteur ?

— Je comprends madame, opina Louis Cruséro. Et je vous remercie de ces précisions. A présent nous allons nous retirer et nous excusons encore.

Il salua, fit un pas, se ravisa :

— Vous n'avez pas de personnel ?

— Si, une femme de ménage. Mais elle ne vient ni le jeudi ni le vendredi car elle travaille ailleurs. Quant à notre bonne de Lille, elle prend des vacances dans sa famille.

L'Antigang s'inclina de nouveau.

— Merci infiniment, madame. Et excusez-nous encore.

Puis, suivi de Le Bannec, il sortit du living accompagné par l'industriel. Une fois dans la jeep où un gendarme les avait attendus, il s'informa près de Villa qui les avait rejoints.

— Rien de spécial dans ce parc ?

Le policier fit la moue :

— Rien. J'ai ausculté les fenêtres de ce manoir...

— Et ?

— Ma foi, ça pourrait servir de poste de tir bien entendu. Mais pas plus qu'ailleurs.

Cruséro poussa un soupir en sortant une Gitane.

— Ces gens m'ont paru cafouiller à un moment. Pas ton avis, Yves ?

Le Bannec hocha sa tête hérissée d'une tignasse d'un blond roux.

— Ben... hésita-t-il en caressant des moustaches qu'il portait taillées court.

— Je vais signaler ça au patron, décida Cruséro faisant signe au gendarme qu'il pouvait partir.

Et, adossé au siège, il pompa sur sa Gitane en songeant aux siens, qui eux aussi, prenaient leurs vacances sur une plage.

*
* *

Une pastille rouge s'était allumée et clignotait sur le cadran du poste émetteur-récepteur logé dans un attaché-case. Patrice Voubié venait de soulever le combiné et de repérer la voix de Lorice, qui lançait :

Point 3 ? Point 3 ? Précautions. Tigres en chasse.

— Point 3 a enregistré, renvoya-t-il sur-le-champ, avant de replacer l'appareil.

Il fit signe à Luis l'Argentin :

— Tu restes au FM. Tu surveilles la plage et l'émetteur. On vient de m'annoncer que les flics rôdent par ici. Je descends.

Luis acquiesça en silence et se porta près du FM, dont la gueule redoutable reposait sur le rebord de l'œil-de-bœuf, perçant l'un des murs comme dans les constructions anciennes. Rassuré, Patrice Voubié descendit l'escalier de marbre, silencieux sur ses mocassins aux semelles fines. A sa silhouette rondouillarde, on ne pouvait imaginer qu'il fût aussi souple, aussi félin. En bas, il découvrit la famille installée sur des divans, sous la surveillance de Loréna la Libyenne. Celle-ci assise loin des otages, les observait d'un œil méfiant et inamical. Elle semblait décontractée, balançait ses pieds chaussés d'espadrilles rouges en tenant au creux de ses cuisses où plaquait sa jupe de toile ocre, un redoutable Mauser doté d'un silencieux. Patrice Voubié alla sur elle, se courba, souffla :

— Les flics peuvent venir d'un instant à l'autre.

Les nerfs de la fille devaient être d'acier, car elle ne broncha pas. Patrice ajouta :

— On va faire sortir le fils du réduit. Toi tu vas conduire la mère là-haut. Moi, je reste ici avec la famille et à surveiller le fils. Pigé ?

Loréna lui balança un regard bref puis, sans commentaire, elle déploya sa blondeur et alla libérer le fils de la maison. Celui-ci renâcla en étirant sa haute taille.

— Vous voulez dire que la plaisanterie est terminée ?

Et il déboucha, dans la pièce où étaient les siens, suivi à distance de la Libyenne sur ses gardes. Il devança sa jolie femme qui toujours en tenue de tennis se préparait à bondir vers lui.

— Reste sage, chérie. Ça va.

Et vers Patrice :

— C'est fini la plaisanterie ou quoi ?

— Elle ne fait que commencer.

— Vous voulez dire...

Il fit deux pas vers le jeune coiffeur pour dames. Patrice recula d'autant.

— Vous devez toujours penser à rester éloigné de moi, d'au moins trois mètres, avertit-il en bougeant l'arme qu'il tenait.

Que je ne vous le redise plus. Ceci bien compris, ne perdons plus de temps.

Il fixa la mère, toujours digne et calme.

— Madame. Je vous demanderai de monter avec mon assistante.

Le fils, malgré lui, esquissa un pas en avant. Le CZ 50 recula à la hanche de Patrice Voubié.

— Je vous ai donné un avertissement, dit Patrice. Que ce soit le dernier.

Et, sur la détente, son index remua doucement.

— Je t'en prie Paul, supplia la mère.

Paul Perdax recula, l'œil sur le canon de l'arme, les mains en avant, maîtrisant mal une envie de bondir. Tout en l'épiant, Patrice Voubié prêtait l'oreille. Il lui avait semblé... un moteur de voiture... Il jeta brièvement, mais toujours courtois.

— Madame, vous montez. Immédiatement. Quant à vous autres...

Il revint au fils, immobile et indécis.

— Votre mère laisse sa vie entre vos mains. Si l'un de vous parle ou fait quoi que ce soit, elle sera abattue. A la seconde même.

La poitrine athlétique de Paul Perdax se gonfla sous la rage.

— Moi, je reste ici pour m'assurer que vous ne ferez pas de bêtises, enchaîna le jeune coiffeur. Et dites vous bien...

Son regard d'un bleu pervenche se promena sur la famille.

— ... que nous avons fait le sacrifice de nos existences, nous. Aussi, à la moindre défaillance de l'un de vous, et quoi qu'il puisse advenir, je vous supprime. Ici même. Devant les policiers s'il s'en présente. C'est bien clair ? Et n'oubliez pas non plus votre mère !

Son regard surmonté de sourcils épilés alla encore de l'un à l'autre et se heurta à celui, farouche, du fils.

— Je sais à quoi vous pensez, reprit-il. Je sais ce que vous aimeriez me faire. Mais c'est moi qui tiens les cartes. Il leva légèrement son pistolet. Aussi...

Il accompagna du coin de l'œil la Libyenne qui se perdait dans l'escalier à la suite de la maman et acheva, alors qu'une cloche tintait au bas du parc :

— Je crois que vous avez de la visite. Rappelez-vous !

— Est-ce vous qui avez tiré là-haut ? s'informa soudain le fils. Je veux dire, il y a une demi-heure ?

En guise de réponse, Patrice Voubié alla prendre position sur un fauteuil, face aux autres.

— Faites-moi passer pour un ami de la famille. Et n'oubliez pas !...

Il agita son CZ 50 avant de le loger dans la poche de son veston bleu en fil à fil et il ne retira pas sa main. Comme le fils allait pivoter pour se rendre à la porte d'entrée, il le freina :

— Pas vous. Vous, je vous veux toujours sous mon regard. En revanche vous, madame...

La jeune bru se dressa, adorable dans sa jupette de tennis.

— ... Et n'oubliez jamais que le moindre mot... la moindre allusion...

Elle le considéra un instant, soupira et, subitement résolue, elle marcha vers le couloir donnant sur l'entrée arrière de la villa. Une minute après Toussaint Barani, qu'accompagnait le jeune Bertrand, pénétrait dans la salle. Il salua et en un éclair enregistra les personnes présentées.

— Navré, messieurs dames, attaqua-t-il de sa voix qui sentait bon le soleil. Mais le drame qui se déroule dans cette ville oblige les autorités à enquêter sur les occupants des villas bordant la plage de l'Ecluse. Ainsi que vous devez l'avoir appris, on a tiré de ces villas. A nous de découvrir lesquelles ont été utilisées. Lesquelles servent aux terroristes...

Son regard fureteur et expérimenté fouilla les recoins, revint à la famille, repartit, revint encore, puis pila sur Patrice Voubié. Le Corse tenta de découvrir le regard au-delà des lunettes solaires.

— Vous êtes de la famille ? s'informa-t-il.

Patrice dont la main droite restait dans la poche du veston en fil à fil et qui, comme tous, s'était dressé à l'intrusion des deux Antigangs sourit.

— Un ami seulement, monsieur. Un vieil ami de la maison si je puis m'en vanter.

Les narines du Corse se froncèrent.

« Un pédé » songea-t-il. Lui qui ne pouvait les encaisser sans bien savoir pourquoi.

— Je suis le propriétaire de cette villa, intervint le père de Paul Perdax.

Toussaint Barani pivota vers lui.

— Et de la Mercedes devant le perron également ?

— Non, la Mercedes m'appartient, renseigna Patrice Voubié.

Le Corse sourit du bout des lèvres.

— Ah ! parfait. Bon, eh bien on nous a annoncé que vous veniez à quatre ici. Du moins...

Il fit appel à Jacques Bertrand qui consultait une fiche.

— C'est ça, fit celui-ci. Monsieur et madame Perdax leur fils et leur bru.

— Ma femme est absente en ce moment, expliqua le père. Mais nous l'attendons ce soir. Elle est chez l'une de ses sœurs.

— Je vois, fit Toussaint. Donc personne de chez vous n'est coincé sur la plage ?

— Dieu merci, personne, répliqua vivement la jeune bru dont Toussaint de temps en temps soulevait mentalement la petite jupette.

C'est qu'il l'aurait bien croquée lui, la blondinette !

— Et vous monsieur ? Personne non plus sur la plage ?

Patrice sentit qu'il devait sortir un peu la main de sa poche où était le CZ 50. Il le fit, sourit.

— Si cela était, je ferais preuve de plus d'inquiétude. C'est que cette histoire semble atroce.

— Semble est de trop, releva Toussaint Barani. Horrible oui, vous voulez dire.

Il huma l'air, parut consulter son jeune collègue du regard, avant de soupirer :

— Je vois que vous ne pouvez en rien nous aider. En tout cas, s'il se produisait un événement nouveau, je vous demanderai d'alerter ce numéro.

Il laissa Bertrand tendre un papier, salua, fixa encore le jeune terroriste, son regard descendit même jusqu'à la légère protubérance qui bosselait la poche du veston puis il s'écarta.

— Merci infiniment. Et encore nos excuses.

Suivi de Bertrand, il se dirigea vers le couloir donnant à la porte de sortie. La jolie bru le devança pour l'accompagner. Parvenu au seuil du couloir, le policier corse pivota brusquement. Quelque chose lui déplaisait. Et cela se sentait à son regard scrutateur et méfiant. Enfin, il lança, se répétant :

— Au revoir messieurs dames. Et encore nos excuses.

Un profond soupir s'évada des lèvres de Perdax père. Son fils, front courbé, serrait les poings. Quant à Patrice Voubié il ne bronchait pas. Il était de fer sous son apparence frivole. Il se contenta de sourire.

— Vous avez été tous parfaits, félicita-t-il.

Mais il ne relâchait pas sa vigilance. Sa main avait retrouvé dans la poche de l'élégant costume la crosse du CZ 50 et son regard pervenche restait en partie braqué sur le couloir, là où les policiers... Car on ne pouvait, ne devait jamais crier victoire. Il suffisait que la blonde en jupette craque pour que...

Avant de se détendre un peu, il attendit son retour et le bruit d'une voiture qui s'éloigne.

*
* *

Les Antigangs ne songèrent pas à visiter le Crystal-Hôtel. Dans leurs esprits et celui des gendarmes, ce lieu ne pouvait avoir été choisi par les terroristes. Trop public. Trop incommode. Les villas, les pavillons isolés, oui.

Ce fut Fernand Duplaix, un de l'équipe de Bontemps, qui, en compagnie d'un collègue Julien Loursat se faufila dans le parc de la villa *Les Mouettes* après avoir fait signe au gendarme d'attendre dans la jeep. Ils la savaient vide et en attente de locataires. Ce qu'ils faisaient n'était pas tout à fait régul, mais Bontemps les couvrait. Quand ils découvrirent une 204 garée sous les branches d'un chêne immense, ils échangèrent un regard content. Est-ce que... Ils dégainèrent leurs 38 Spécial et lentement, sans bruit, ils s'approchèrent de la superbe villa. Arrivés sous l'une des fenêtres ils s'immobilisèrent et prêtèrent l'oreille. Rien. Puis Duplaix s'avisa que la fenêtre voisine était ouverte. Il s'y rendit, courbé, en faisant signe à son équipier de ne pas broncher. Là, il se dressa avec précaution et jeta un regard. Mais toujours rien. Puis, il se bloqua et ses narines frémirent comme celles d'un lapin. Ça reniflait le tabac. Du blond se précisa-t-il. Et c'était tout frais. Il se baissa de nouveau à l'abri du rebord et de l'index appela Julien Loursat à ses côtés. Quand ce fut fait, il lui souffla :

— Il y a eu du monde, il y a peu de temps.

— Peut-être des mômes qui ont profité du local vide pour se défoncer et se sauter, renvoya Loursat à voix basse, en humant l'air à son tour.

— C'est ce qu'il faut savoir, souffla Duplaix. Une chose sûre : le numéro de la 204 n'est pas d'ici. Elle est immatriculée dans la Loire. Note que ça veut rien dire. Toi, reste là. Je vais aller voir.

Enjambant l'appui, il se laissa choir sans bruit dans la pièce, une chambre merveilleusement meublée en bois clair et brillant. Le lit n'était pas défait mais la couverture avait conservé l'empreinte d'un corps. Possible que Loursat ait eu raison et que des jeunes en retard d'affection... L'Antigang, fringué de toile bleue et chaussé de baskets comme presque tous ceux de la brigade, avança sans bruit jusqu'à la porte. Là, il se colla au bois, écouta avec intensité. Tout à coup, il lui sembla... mais c'était vague... comme un murmure de voix. Il ouvrit, arme au poing, avança jusqu'à un escalier où il s'immobilisa de nouveau. Les effluves du tabac blond s'annonçaient plus forts et ce qu'il avait pris pour des voix se trouvait être un transistor qu'à présent, il percevait nettement. Il commença à monter. Puis, s'arrêta encore, tendu, aux aguets. Dans son dos, il lui avait semblé... comme un frôlement... Soudain il pivota, alerté d'une présence. Il voulut lancer une sommation, puis tirer. Mais, un homme barbu, le torse pris dans un maillot rayé de matelot le précéda. Le PM qu'il tenait crachota. Au coup par coup. Duplaix s'effondra. Rapide, José Dual, en deux bonds, fut sur le corps qu'il fouilla. Un coup d'œil sur une carte barrée de tricolore, le fit jurer.

— *Dios porco.*

Aussi vite et aussi déterminé, il fonça vers la fenêtre ouverte, PM à la hanche, pour voir dans le parc s'ils étaient cernés. Brusquement un homme se dressa. José tira, sans hésiter, l'autre riposta. Le projectile fouilla les flancs du pistolero tandis que Christian Marquette dégringolait en trombe, criait :

— C'est quoi, José ?

Puis, il apparut, un PM également au poing. Il n'attendit pas la réponse à sa question. Il plongea près de José Dual aplati sur le parquet qu'il mouillait de son sang.

— Là, un homme ! expliqua le pistolero. A la fenêtre.

— Flics ?

— Flics, grimaça José. J'en ai eu un.

— J'ai vu, coupa Christian Marquette. Il ne faut pas que celui-ci sorte vivant.

D'un bond, il se rua sur la fenêtre, n'eut que le temps de voir la silhouette de Loursat se fondre sous les arbres. Il s'enleva d'un autre bond, atterrit dans le parc et courut vers les branches basses, s'attendant à chaque seconde à encaisser du plomb. Mais rien. Il fouilla, PM braqué. Rien. L'équipier du flic abattu s'était volatilisé dans les sous-bois de sapins. Il revint en hâte à la villa. Il fallait agir, alerter immédiatement celle qu'il connaissait sous le nom de Thérèse Malloumian. Il revint dans la villa par le même chemin. Toujours sur le sol, José Dual, livide, comprimait son flanc blessé.

— Je reviens, jeta-t-il.

Il enjamba les marches et le corps de Duplaix. En haut, il attrapa l'émetteur-téléphone, lança aussitôt qu'il eut le contact :

— Ici Point Numéro 1. Ici Point Numéro 1. Tigres ont découvert tanière. Allons être envahis. Gibier blessé. Accusez réception.

Et immédiatement, la voix de la responsable :

— Bien compris Numéro 1. Ne bougez pas. Faisons nécessaire.

Aussitôt, Lorice de sa terrasse ensoleillée, alerta Fidel Juarez sous l'œil soucieux de Yasser.

— Point 5 ? Point 5 ? M'entendez-vous ?

A la seconde s'éleva la voix de Fidel dans le téléphone-récepteur.

— Point 5 écoute.

— Tigres ont trouvé tanière Numéro 1. Lancez message Y. Je répète. Tigres ont trouvé tanière Numéro 1. Lancez message Y. Accusez réception.

Et Fidel Juarez aussitôt :

— Bien compris. Diffusons immédiatement Y. Terminé.

Selon le plan concerté, Fidel Juarez, Numéro 5 dans le dispositif de l'opération Pablo, jeta dans le mégaphone d'une voix claire :

— Ici, la Lutte pour la Libération de L'homme. Vous venez d'intervenir en un point du dispositif. Vous ne devez pas poursuivre cet avantage sous peine d'une tuerie générale.

Au-delà de la rambarde séparant la plage du casino, les officiels et les policiers avaient tressailli. Que signifiait ce message si menaçant ? Qui était intervenu ? Qui avait découvert quelque chose ? Les uns après les autres, Antigangs et gendarmes avaient rendu compte : Rien. Rien à part les soupçons vagues de Barani. Rien de concret. Alors ?

Marcel Lesombre qui se tenait à côté de Bontemps, lequel scrutait le commando de la plage à la jumelle, s'inquiéta :

— A ton avis, qu'est-ce que ça veut dire ?

— Sais pas, grommela Bontemps. Dis, tu as vu, Marcel ? Le gars placé au centre du dispositif a des doigts en moins.

Et il tendit les jumelles.

— Ma foi... acquiesça le directeur adjoint de la PJ. Si encore ça pouvait nous aider à le redresser. En tout cas, c'est un indice qui peut servir.

— On va faire diffuser ce détail à tous les postes de police. Ça serait un coup de flair qu'on tombe juste sur un type recherché avec des doigts de moins, mais vu où on en est... Et puis c'est le boulot.

Un brouhaha derrière eux les fit se retourner. Loursat essoufflé, venait de se jeter d'une jeep de la gendarmerie.

— On les tient, patron ! cria-t-il, excité, oubliant le ministre de l'Intérieur et le préfet adossés aux voitures à cocardes. Bontemps fut sur lui en deux pas.

— Tu tiens qui ?

L'Antigang conta ce qui lui était advenu. Il n'avait pas terminé que Bontemps appelait :

— Pat ! Tatave ! Une voiture pour aller chercher Duplaix.

Son supérieur lui posa la main sur le bras.

— Impossible Paul. Les autres ont été précis. On ne doit pas intervenir.

— Mais il s'agit d'un de mes gars ! se rebella Bontemps.

Puis, se tournant vers la plage où la foule, muette, écrasée de peur, restait de force sous le soleil sans presque oser respirer :

— Ah ! c'était donc ça, le message ? Les salauds !

Son regard balaya la multitude des baigneurs. C'était insensé. C'était incroyable. Et pourtant quelque part des tireurs embusqués... Il secoua la tête vers le grand Pat et l'Ardéchois.

— Contrordre. Laissez choir.

Il enregistra la crispation des mâchoires du grand Pat et évita son regard.

— Nom de Dieu de nom de Dieu de bon Dieu, jura alors sourdement l'Ardéchois pour se défouler. Puis, il entraîna son copain à l'écart, tandis que Bontemps, front pensif, proposait à Marcel Lesombre :

— Vu qu'ils paraissent communiquer entre eux, je propose d'essayer de les situer par des détecteurs d'émetteurs.

— L'idée est bonne maintenant que nous savons qu'ils sont en contact, approuva Marcel Lesombre en s'allumant une Gitane filtre.

— En étant patient, on parviendra peut-être à savoir combien ils sont. Et où ils sont.

— Sans pour autant pouvoir intervenir, vu le message qu'ils viennent de nous diffuser, soupira le directeur adjoint.

Paul Bontemps hocha la tête et frôla son collier de barbe, taillé court.

— D'accord. Mais, si le climat change on saura où frapper.

— Monsieur le directeur !

— Commissaire !

Les deux policiers pivotèrent. Des reporters étrangers débarqués à la hâte d'Italie, d'Allemagne et d'Angleterre les cueillirent dans leurs objectifs. Bontemps les salua amicalement du geste. Il aimait la pub. Les belles filles encore plus. A chaque cliché de lui sur les journaux, elles lui cavalaient après, leurs culottes à la main.

— Tâche d'obtenir des détecteurs faciles à manipuler, reprit-il à l'intention de son ami. Si tu pouvais obtenir des Super Portector T.S - 2 ? Cent vingt millimètres sur soixante, je crois me rappeler, et alimentés par piles ?

— Je les connais, déclara son ami. On les a utilisés il y a peu. Ils sont pratiques, car ils peuvent être logés dans une poche. Et le micro avec ampèremètre incorporé aide sans erreur à prendre la direction à suivre pour localiser l'émetteur.

Il aspira sur sa Gitane, toussa, ajouta :

— Je vais t'avoir ça.

— Tu fais vite, hein, Marcel ?

Le directeur adjoint le rassura de la main et se rendit près du ministre que cernait une meute affolante de journalistes à qui on avait livré passage entre les barrières mobiles gardées par des CRS. Ces journalistes ! On avait beau les tenir à l'écart ! Ils se faufilaient, revenaient à la charge, interrogeaient, filmaient, photographiaient. A la même et sempiternelle question que tous lui lançaient : « Votre gouvernement libérera-t-il ce Pablo, ou bien tiendra-t-il bon ? » le ministre, un coriace, qui était pour l'ordre absolu, répliquait une fois de plus :

— La décision ne m'incombe pas. Je suis solidaire de mon gouvernement. Le président décidera en dernier ressort.

— Donnera-t-il l'ordre de libération ?

Et la réponse de jaillir :

— S'il le juge bon, oui.

— Est-il vrai que certaines nations font pression pour obtenir cette libération ?

— Comme d'autres pour ne pas l'accorder ?

Les envoyés spéciaux, étrangers surtout, ne lâchaient pas l'os. Leurs voix se croisaient, excitées, avides :

— Vous préférez risquer la vie de centaines et même de milliers d'innocents plutôt que de céder au chantage ou de perdre la face ?

— Est-ce vrai, la position de votre président qui maintient qu'il faut faire preuve de fermeté ?

A la longue l'entourage de l'Excellence se mit à réagir :

— Messieurs, messieurs... S'il vous plaît... Vous importunez le ministre.

Et des bras, des mains tentaient de refouler les boulimiques d'informations, de faire reculer leurs micros, revenus en douce à la charge. Lassé, le préfet se pencha sur le colonel qui lui, se courba à l'oreille d'un commandant de CRS, lequel se détacha. Et en deux, trois minutes, la meute photographiante et harcelante fut repoussée au-delà des barrières de protection disposées hâtivement pour empêcher la foule d'approcher les officiels.

Lesombre profita de l'accalmie pour réclamer les gadgets auprès du ministre, son grand patron. Celui-ci répliqua sur-le-champ :

— Faites-vous apporter tout ce que vous estimez bon. Je vous couvre.

Et, vers son chef de cabinet qui ne le lâchait pas du regard :

— Occupez-vous de ça, Rities. Et sans tarder. Quant à vous, Lesombre, croyez-vous qu'attendre la nuit soit une bonne solution ?

Pour poser la question, il avait attiré le directeur adjoint à l'écart.

— Ce peut être un atout, remarqua l'ami de Bontemps. Du moins, l'obscurité devrait nous permettre de faire s'échapper un peu de monde. On peut logiquement y croire. Et, possible que d'ici la nuit nous soyons parvenus à situer les tireurs des villas.

Approuvant de la tête, l'Excellence revint alors vers son état-major et réclama la ligne directe qui le reliait à l'Elysée. Il allait rendre compte et proposer de tenir bon. Tout en attendant la communication, il hochait sa tête volontaire qu'encadraient des cheveux gris fer qui bouclaient. C'était incroyable ! Une poignée de terroristes avaient osé prendre en otage un millier ou plus de baigneurs. Combien pouvaient-ils être ces tueurs ? Une vingtaine ou une cinquantaine à tout casser ! Et ils défiaient des forces de police considérables, car celles-ci, à mesure que les heures tombaient, se renforçaient. Même la troupe était prévue pour établir un vaste cordon qui isolerait la ville. Démentiel ! Et tout ça pourquoi ? Pour qu'on rende à la liberté un chef terroriste d'un mouvement anarchico-libertaire dont les buts n'étaient pas très clairs. Du moins, aux yeux de la bourgeoisie.

« Lutte pour la Libération de L'homme » se murmura, l'Excellence. A quoi rime ce sigle ? A libérer ce Pablo, oui ! Puis, il s'empara du combiné que son directeur de cabinet lui tendait avec respect.

CHAPITRE IX

Au milieu des officiels, le maire se lamentait pour sa fête du 12 août. Celle-ci, qui marquait la libération de la ville était, du fait des terroristes, à l'eau. Les montants de bois supportant les pétards et fusées du feu d'artifice paraissaient dérisoires, saugrenus, inutiles. Surtout dans ce décor ! Sous ce magnifique soleil ! A même pas deux cents mètres d'eux. Les responsables du gâchis, les cinq terroristes, l'un après l'autre se sustentaient. Mais tous restaient vigilants, la main sur leurs armes braquées en toutes les directions. Les innombrables estivants coincés dans ce piège démentiel n'en pouvaient plus. Et puis il y avait les gosses ! Comment faire tenir en place ceux qui avaient dû ou voulu rester avec leurs parents ? Et ceux-ci ? Pour les besoins naturels de tous, il avait fallu trouver la solution. Autrement... Aussi, des tentes-cabines avaient-elles été érigées en commodités. Ce n'était pas très propre. Ça reniflait un chouïa, ça balançait un rien de senteur dans les alentours. Mais... comment faire autrement ? Et les heures s'écoulaient, la tension, quoique toujours vive, se calmait légèrement, les êtres s'efforçant de s'accoutumer à tout. Les gens bavardaient les uns avec les autres. Certains même, les jeunes surtout, en arrivaient à blaguer un peu. Deux d'entre eux qui avaient voulu se prendre pour des durs et avaient tenu à le démontrer, avaient terminé leur courte vie, à trois pas des cordes délimitant le rectangle où se dressaient les cadres de bois et où s'ensablait à demi le commando. A l'injonction de stopper, les jeunes gars encouragés par des filles et des copains avaient répliqué par des bras d'honneur. Résultat ? Ils dormaient pour toujours et les filles pleuraient.

Indifférents aux regards de haine ou de peur qui les observaient sans relâche, Fidel Juarez et les siens restaient sur le qui-vive. De ses jumelles Fidel suivait les manœuvres des CRS, repérait les dispositifs mis en place sur le toit du casino, aux fenêtres des maisons et des immeubles. Le commando pouvait se voir cerné, piégé, pris comme dans une nasse. Sauf vers la mer. Quoique là... l'escorteur gris et effilé ne quittait pas sa faction, immobile et silencieux. Il demeurait sur place, posé comme une menace, tourelles braquées mais canons non décapuchonnés. Des vedettes de la police côtière et de la douane avaient renforcé la surveillance. Tous attendaient, guettaient dans le jour qui déclinait très lentement. D'ici deux heures, la nuit jetterait sa cape sombre sur le drame.

Ceux des trois L avaient escompté que le gouvernement français céderait presque aussitôt, vu l'ampleur de la prise d'otages. Eh bien, ils s'étaient trompés, les innocents abattus ne semblaient pas avoir impressionné les dirigeants du pays. Mais ils céderaient. Il le faudrait bien. Eux ne lèveraient pas le siège avant que Pablo ne soit en route vers Alger. C'étaient les ordres. Fidel qui, tout en songeant, portait une bouteille Thermos à ses lèvres stoppa son geste. Un homme venait vers eux. Grand, fort, en tenue de ville, il avançait visage fermé, poings serrés. A la rambarde de ciment, les CRS qui n'avaient pu l'empêcher de sauter sur le sable, gesticulaient, lui criant de revenir. Eux n'étaient pas bons pour franchir la ligne interdite, quoique invisible. Pourtant, les terroristes n'avaient pas mentionné de nouveau qu'il était défendu de descendre. De remonter, oui. Mais de descendre ? Cependant, cela coulait de prudence. Et de logique. Car, si les tueurs laissaient descendre, des flics déguisés en baigneurs pourraient tenter de les approcher. Et, alors, partant de là... Fidel laissa l'homme s'avancer assez près. Puis il cria :

— Stop !

Mais l'homme ne semblait pas avoir entendu. Il marchait sur l'un des corps des jeunes gars abattus. Parvenu devant, il s'agenouilla. Il ne pleurait pas. Il prit la tête du mort dans ses bras et le sable qui s'était incrusté dans les cheveux de la victime coula sur la manche de son costume d'alpaga. Il offrait un visage sanguin, colérique, des traits lourds, épais. Comme ses membres. La foule proche de lui le contemplait, fascinée et bouleversée.

— C'est le père de Yannick, chuchota l'une des filles qui avaient poussé le garçon à réagir bêtement.

L'homme releva lentement le front et fixa haineusement Fidel. Puis, il souleva le corps de son fils avec précaution. Et, debout, soutenant de ses bras puissants le cadavre de son fils, il fixa de nouveau les hommes du commando. Il ne dit rien. Son regard brûlant parlait. A l'abri de leurs lunettes de motards, les équipiers de Fidel Juarez l'observaient sans ciller. Pour eux, il n'était qu'un incident. Ils ne se sentaient pas concernés. Le silence autour d'eux s'était amplifié, était devenu quasi palpable. Une sorte de sanglot le troubla. Etait-ce le père ? On ne voyait rien bouger sur son visage figé par la haine et la peine. Enfin, lentement, sans prononcer un mot, il repartit vers la rambarde. Sur sa route, des gens qui s'étaient levés pour le suivre des yeux, s'écartèrent. Des femmes pleuraient. Lui allait son chemin. A pas lents, son fardeau dans les bras. Sous ses semelles le sable crissait et ce bruit se répercutait dans le silence. Arrivé en bas de la pente cimentée qui conduisait à la promenade du Palais des Congrès, il ne reprit pas haleine et ne se retourna pas. Il commença à monter, point de mire douloureux de centaines d'yeux, toujours à pas lents mais fermes. La foule cessa de respirer, officiels et forces de police également. Est-ce que les tueurs allaient appliquer leur menace qui interdisait de quitter la plage. Certainement pas. Il s'agissait d'un cas exceptionnel. Les autres ne pouvaient pas... n'allaient pas... L'homme atteignait presque le haut de la pente. La foule commença à souffler. Il n'avait plus qu'un mètre et...

Un *tacata* lacérant brutalement l'air secoua les spectateurs impuissants. Des visages se crispèrent de douleur, certaines personnes portèrent la main à leur ventre, à croire que c'étaient elles qui avaient été touchées. Poulets et officiels, eux-mêmes... Le ministre alla jusqu'à se mettre la main à la poitrine. A vingt mètres de lui, l'homme venait de tituber. Mais il ne tombait pas, ne lâchait pas son enfant. Il leva le pied gauche. Il ne lui restait plus que ce sacré mètre pour être hors de la ligne interdite. *Tacata*... Une seconde rafale le coucha sur son fils mort. Il agita les jambes, rua. Puis ne remua plus.

— Les salauds ! cria quelqu'un. Les infâmes salauds !

Puis, une femme, puis deux, puis plusieurs pleurèrent et hurlèrent.

— C'est monstrueux, gronda le ministre.

— Tu as vu d'où provenait le tir ? s'informa Lesombre, près de Bontemps. Moi, non.

L'As des Antigangs, qui avait tombé la veste en dépit de l'Excellence ne répondit

pas. Dès la première rafale il avait tourné le
cou sur la droite d'où... Et, sans s'occuper de
la victime qui titubait, jumelles aux yeux, il
avait continué à guetter au cas où... Le
second *tacata*, sec, précis, ne l'avait pas
surpris. Avec intensité, il avait ausculté la
verdure... les fenêtres des villas qui s'y
encadraient. Bien sûr il n'avait pas décelé le
canon de l'arme automatique mais au pifo-
mètre... à l'instinct... il était prêt à parier
que les détonations provenaient de la villa
Mon Désir celle que Toussaint lui avait
signalée comme bizarre. Il rabaissa enfin ses
jumelles tandis qu'en bas sur le sable, l'angoisse s'accentuait.

— Toussaint a peut-être vu juste, lâcha-
t-il enfin pour Lesombre. D'après l'angle de
tir, je crois bien que ça serait la villa qu'il
m'avait indiquée comme à surveiller.

— Et tu as mis du monde dessus ?

Bontemps reposa les jumelles sur le rebord de la rambarde de ciment.

— Mieux que ça. L'un de mes gars est à
proximité avec l'un des détecteurs que tu
m'as fait parvenir.

— Pourvu qu'ils émettent, soupira Marcel
Lesombre. Tu en as fait poster d'autres où ?

L'inspecteur principal Legendre, qui
s'était chargé de la mise en place, répondit
pour Bontemps :

— J'en ai truffé le côté gauche et le côté
droit de la plage, monsieur le directeur. Si
un message est échangé, nous saurons d'où il
a été émis et où il a été réceptionné.

— Et nous n'aurons plus qu'à cerner discrètement les lieux, renchérit Bontemps.

— Sans intervenir, Paul, alerta Lesombre.

L'œil de l'Antigang parcourut l'immense plage.

— Sans intervenir, Marcel, soupira le commissaire.

Puis, son œil s'arrêta vers le bas de la descente, là où les corps de l'homme et de son fils avaient roulé. Personne n'osait aller les chercher, car ils étaient tombés hors la limite autorisée. Un combat se livra sur la face durcie de Bontemps.

— Ce spectacle est mauvais pour les nerfs déjà bien ébranlés de ces gens. Il leur faudrait un peu d'espoir. Si...

Ni Lesombre ni le vieil IP ne surent sur le coup ce qu'il avait voulu dire. Sans un mot de plus, laissant son veston près des jumelles sur le rebord de ciment, Paul Bontemps de son pas tranquille, hérité de ses ancêtres paysans, marcha vers la descente menant à la plage. Lesombre amorça un pas, Legendre se permit de lui frôler le bras.

— Laissez, monsieur le directeur. Si le patron à pris une décision, il ne reviendra plus en arrière.

Et, craignant le pire, il s'empara des jumelles, les braqua sur l'une des villas, celle qu'on ne voyait qu'en partie, rapport au feuillage. Bontemps, sans voir personne, sans s'occuper de rien, descendit la pente douce. Officiels, CRS, gendarmes et la foule retinrent leur respiration. A présent, ce qu'il allait faire ne faisait plus de doute. Encore trois mètres et... Encore deux... un...

Tacata. Tacata... Les balles frappèrent le sol au pied de l'As des Antigangs. La foule ne bougea plus. Même les enfants. Bontemps, sans vouloir savoir s'il allait mourir, se baissa et par un effort qui lui gonfla les veines temporales, il empoigna le fils, le jeta sur son épaule et, se baissant encore, il hala le père par le col de son veston. *Tacata... Tacata...* des balles fouettèrent le corps du jeune homme qui sur l'épaule de Bontemps sembla s'animer d'un restant de vie. Le commissaire, mâchoires serrées, le regard toujours vide, lointain, continua à haler le cadavre du père sans lâcher celui du fils qui venait de le sauver. Beaucoup de femmes, la main à leur cœur qui cognait, suivaient sa progression vers le haut. Quatres mètre. Trois... Deux, et... En haut de la pente découpée entre la rambarde, il lâcha les deux corps dont les CRS s'emparèrent aussitôt. Un *ah !* de soulagement qui s'échappa de la foule, salua sa folie.

— Vous êtes fou, commissaire, de vous être exposé de la sorte, le tança le ministre lorsque Bontemps passa devant son groupe. Puis à voix basse : Mais psychologiquement c'est bon.

Il arbora une espèce de sourire sur son visage soucieux.

— T'es dingue, répéta Lesombre à son ami en l'abordant. Et si...

— Et si ma tante en avait, répliqua irres-

pectueusement Bontemps, usant d'une
vieille formule éculée.

Mais il ne riait pas, n'en avait pas envie.
La tension nerveuse, la peur aussi, l'avaient
trempé de sueur.

Le grand Pat et Tatave l'Ardéchois qui
étaient juste arrivés pour assister à la scène,
eux, souriaient d'orgueil.

— Du nouveau ? leur décocha le commissaire en les repérant.

— Non, avoua le grand Pat.

— Rien... soupira le colosse. On a bien...

— Alors qu'est-ce que vous branlez là, bon
Dieu ? Fouinez, cherchez à savoir. Puis revenez ici, au soir.

Nullement vexés, les deux Antigangs pivotèrent et longèrent la rambarde en guignant les jolies baigneuses prises au piège de
la plage et qu'ils dominaient de haut. Vers
l'une, une brunette qui haussait les yeux sur
eux, le grand Pat susurra :

— Je vais revenir vous sauver cette nuit.

Mais la fille n'avait pas l'âme à la bricole.
Elle détourna la tête sans sourire.

— Comme c'est triste, soupira le grand
policier.

Que trouvait-il de si triste ? L'infernale situation ou le manque de réaction de la jolie
gosse ?

Après leur départ, Bontemps, évitant de se
mêler à l'état-major des officiels, s'accouda à
la rambarde un moment, puis à pas lents,
pensif, suivi de son inspecteur principal à
qui il avait fait signe, il alla du côté de la

place Joffre où se dressaient des boutiques encloses dans le service de sécurité.

— Que diriez-vous d'un demi, Legendre ? proposa-t-il.

Le vieux acquiesça et ils burent. Puis, le commissaire acheta deux sandwiches préparés, en tendit un à son subordonné, se fit ouvrir deux autres canettes de bière et ils s'en revinrent vers la promenade, après avoir franchi les barrières gardées par les CRS. Bontemps fit la grimace en mordant dans le pain trop mou, le jambon trop mince. Accompagné de Legendre, il avançait lentement, l'esprit comme lointain. Enfin, revenu près de son veston qu'il avait laissé sur la rambarde, il dit, fixant soudain le vieux :

— A votre avis, comment obliger les tireurs embusqués à se démasquer ? Je veux dire comment parvenir à situer leurs positions ?

— En repérant le départ des coups de feu.

— Pour ça, il faut qu'ils tirent et qu'on ait l'objectif braqué sur l'endroit où ils se planquent. Et là-dessus nous ne savons pas grand-chose. Bien sûr nous avons des doutes... Mais de là à les loger...

— Et en les décelant par le détecteur d'émetteurs ?

Bontemps arracha un gras de jambon. Il allait le jeter puis se contint en voyant sur la plage les yeux affamés d'un môme de dix, douze ans qui l'observait.

— Ah c'est vrai... soupira-t-il.

Otant le casse-croûte des mains de Legendre, il l'enveloppa, ainsi que ce qui restait du sien, dans le papier les ayant contenus et lança le paquet au gosse qui le happa au vol.

— Et moi, m'sieur ?

— Et moi ? Et moi ? crièrent d'autres mômes.

Bontemps regarda à droite vers les villas nichées dans la verdure là où les tireurs... Puis à gauche, là où d'autres tueurs... et il grommela :

— Va bien falloir trouver à ravitailler ces gens. Car si ça dure et que ce Pablo n'est pas libéré, ils vont sauter la rambarde.

— Vous croyez que le siège va durer toute la nuit ?

Le vieux qui s'essuyait les doigts à un mouchoir avait déjà oublié le casse-croûte.

— Plus que probable, répliqua Bontemps. Regardez, il va faire nuit d'ici une heure. Et une nuit assez sombre, j'espère.

Il indiquait des nuages dans le lointain, léchés par des lueurs roses.

— Bon, revenons à ton idée de détecteur. J'y ai pensé et je crois avoir trouvé le moyen d'obliger les types à démasquer leurs positions.

— Et, c'est quoi, patron ? s'intéressa Legendre.

Mais au lieu de le lui dire, Bontemps, raflant son veston, se dirigea vers les officiels. Là, il réussit à faire signe à Marcel Lesombre qui cassait la croûte avec les huiles et l'attira à l'écart.

— Voilà, Marcel, attaqua-t-il. Je crois

pouvoir forcer les mecs à se débusquer un peu. Bref, pouvoir les loger. J'aimerais en parler au grand caïd.

Lesombre ne discuta pas. Il connaissait son copain. Il l'amena devant le ministre, s'excusa de le déranger dans son repas pris sur le pouce, lui exprima la requête de Bontemps. L'Excellence le rassura en agitant la rondelle de saucisson dans laquelle il mordait.

— Je vous écoute, dit-il vers Bontemps.

— Voilà l'idée qui m'est venue monsieur le ministre, débuta Bontemps qui avait rendossé son veston. Si nous annoncions par haut-parleur un encouragement à la foule en leur racontant que le gouvernement a cédé et que Pablo est en route pour Alger...

La rondelle de charcuterie faillit bloquer le gosier du ministre.

— Mais vous êtes encore plus fou que je ne pensais ! Annoncer ça devant la presse mondiale alors qu'en réalité l'Elysée vient de m'ordonner de tout tenter pour ne pas avoir à céder devant l'odieux chantage !

— Je persiste à croire que mon idée est bonne, s'entêta Bontemps. Elle permettrait de déceler où se tiennent les tueurs. Car, après une telle annonce, ils voudront savoir ce qu'ils doivent faire !

— Sans compter que ça soulagera un peu l'angoisse de ces pauvres gens, ajouta Lesombre épaulant son chef opérationnel. Car je les vois mal résister à la nuit si on ne leur verse pas un peu d'espérance.

Front creusé, mâchonnant lentement, le ministre réfléchissait. Enfin, il releva les yeux sur Bontemps.

— Vous êtes certain du résultat ?

L'As des Antigangs hésita. Il savait que s'il échouait, il jouait sa carrière. Mais le risque était dans son caractère. Il plongea.

— Plus que certain, monsieur le ministre, mentit-il. Cela va les forcer à se dévoiler. Et une fois que nous les aurons détectés nous serons alors en mesure de préparer l'assaut.

Le ministre tiqua.

— Vous savez ce qu'impliquerait un assaut mal coordonné ? Les tueurs embusqués pourraient vouloir se venger et alors ce serait une tuerie.

— Il sera synchronisé, le rassura Bontemps. Mes hommes sont surentraînés et capables de réaliser ça au mieux. Sans compter l'aide que pourraient nous apporter les spécialistes du colonel.

Le responsable de la gendarmerie inclina le buste, pour remercier du compliment, tout en lâchant, approuvant l'idée :

— Une telle opération est effectivement réalisable, monsieur le ministre. C'est une question de coordination dans les moyens utilisés.

Le ministre hésita encore. Pas longtemps. Il se décida tout à coup.

— D'accord, commissaire, je vous couvre. Je m'en expliquerai avec l'Elysée. Mais vous savez ce qu'il nous arrivera à tous si vous échouez ?

Il s'empara du verre de bordeaux que lui tendait son chef de cabinet, se demandant s'il faisait bien de s'alimenter et de boire en public alors que sur la plage, des victimes... Mais, il fallait bien vivre. Le reste était de la démagogie.

Aussitôt donnée l'acceptation du ministre, Bontemps et Lesombre entrèrent en action. Ils pénétrèrent dans le bureau des CRS maîtres nageurs, se penchèrent sur une feuille de papier, y établirent un texte, le relurent, le raturèrent, puis Bontemps s'empara du micro qu'il amena au bord de la rambarde.

— Attention. Attention. La police vous livre un message.

La voix du commissaire s'était élevée lentement, gagnant la plage, survolant les têtes soudain attentives.

— Nous allons vous annoncer une bonne nouvelle. Mais nous vous demandons de ne pas bouger et d'attendre que nous vous fassions signe quand nous jugerons le moment venu pour vous de quitter la plage sans risque. Ce qui peut encore être long.

Un *ah* ! de joie roula, s'enfla, monta dans le ciel qui d'ici une quarantaine de minutes allait basculer dans l'obscurité.

Bontemps patienta quelques secondes puis sa voix, de nouveau, s'éleva, prometteuse d'espérance.

— Pablo, le chef terroriste de la Lutte pour la Libération de L'homme, à qui vous êtes redevable de votre situation actuelle a été extrait de sa prison et vole en ce moment vers Alger. Donc...

Un *ah* ! plus puissant, plus gigantesque où se mêlaient des hurlements d'allégresse submergea le sable et la mer. C'était une rafale de mots, de cris de joie et de grondements.

— Dieu de Dieu, soupira Bontemps vers Lesombre et Legendre qui se tenaient à ses côtés. La foule c'est quelque chose d'effrayant.

Les deux policiers opinèrent. Ils en connaissaient la générosité et la férocité selon ses motivations et ses humeurs. Bontemps secoua le micro dans sa main solide. Comme s'il avait pu par ce geste faire taire ceux qui, en bas... à leurs pieds... Mais le tumulte ne cessait pas. Au contraire. La frénésie les gagnait tous, jeunes et vieux, riches ou non. Et là-dessus, les tout jeunes, qui s'en mêlaient sans bien comprendre. A croire que tous se libéraient de la tension nerveuse qu'on leur infligeait depuis des heures et des heures.

— Pourvu que mon idée ne foire pas, murmura Bontemps, inquiet malgré tout.

— Bon Dieu, essaie de les calmer, lui souffla Marcel Lesombre. Ça va tourner à l'hystérie.

Bontemps se racla la gorge, aspira de l'air et...

— Nous réclamons un peu de silence. Un peu de silence. S'il vous plaît. Calmez-vous. Calmez-vous.

Il dut hurler à la fin pour obtenir le silence réclamé. Et encore ne l'obtint-il pas tout de suite. Ce ne fut que progressif. Il en profita pour lancer d'une voix claire et qui porta loin :

— Vous devez conserver votre sang-froid et ne pas bouger. Cela peut durer encore une heure ou deux. Plus peut-être. Nous vous avertirons quand le moment sera venu de...

Tacata... *Tacata*... Les détonations provenant de la gauche résonnèrent dans le soir descendant, leur bruit en était joyeux, allègre, alors qu'elles signifiaient la destruction et la mort. Bontemps, les pieds emmêlés dans le fil du micro, pivota vers la gauche, d'où cette fois jaillissaient des cris d'horreur. Ils provenaient du côté du territoire de sable réservé au club des Pingouins où s'élevaient portiques et balançoires pour les enfants. Officiels et policiers, rendus sur la rambarde purent voir au-delà des tentes-cabines dressées en bout de plage, deux corps culbuter au bas de la rambarde. Un homme et une femme. Un couple certainement. Ils avaient, grisés par l'annonce, tenté d'emprunter la pente conduisant à la promenade des Congrès. Et, ils en étaient morts. La vigilance des tueurs était sans défaut.

Bontemps évita le regard accusateur du ministre.

— Plus qu'à espérer... soupira Lesombre à son ami. Mais ça commence bien...

Il demeurait solidaire de son copain et subordonné. Il avait été lui aussi sur le tas. Il savait qu'en prises d'otages, rien n'était facile. Que leur métier était rude et les pépins nombreux, les coups de Jarnac et ceux du sort aussi.

— Tu as beaucoup de détecteurs en place ?

— Les trente que tu m'as fait livrer, répliqua Bontemps en tendant le micro à Legendre pour qu'il le rapporte dans le bureau des maîtres nageurs CRS étendus morts sur la plage.

Puis, voyant que son ami s'offrait une Gitane filtre il la lui arracha des doigts. Marcel Lesombre marqua un temps d'arrêt, puis se contenta de tendre son briquet enflammé. Bontemps aspira sur le tube de tabac tout en pianotant sur la rambarde. Et, s'enveloppant de fumée, il fixa la mer où au large quelques voiliers attardés qui rentraient, paraissaient fragiles et dérisoires, comparés au monstre d'acier bruni, tapi, tourelles braquées vers Dinard, immobile, vigilant, impressionnant de menace.

CHAPITRE X

Le premier à réagir à l'annonce de Bon-temps fut Hervé Le Bollec, du Point 4. Il souleva son téléphone-émetteur, appuya sur une manette noire, attendit le déclic, jeta aussitôt d'une voix rauque, contrariée :

— Qu'est-ce que c'est que cette salade ? Pablo est libre ? Alors on fait quoi ?

Et la voix de la responsable de l'opération Pablo lui répliqua sur-le-champ :

— On ne bouge pas. On reste vigilants. On attend confirmation...

— Donc, rien de changé ? s'inquiéta le responsable du Point 4.

— Rien, renvoya la voix qui se voulait sèche et autoritaire mais n'en conservait pas moins des inflexions féminines, voluptueuses.

— OK, lâcha Le Bollec avant de couper le contact.

Et il installa à côté du FM un projecteur de grande puissance couplé avec un dispositif infrarouge.

*
* *

Puis, ce fut Fidel Juarez qui, aux premières loges pour avoir entendu et vu Bontemps
diffuser le message, chercha à toucher à son
tour Lorice Atafa. Au centre du carré, protégé par ses hommes qui aux quatre points
cardinaux lui tournaient le dos, accroupis,
doigt sur la détente de leurs armes, il souleva le téléphone-émetteur de l'attaché-case
et appela.

— Ici Point 5. Ici Point 5. On veut savoir la marche à suivre après la déclaration de police concernant la libération de
Pablo. Est-ce qu'on doit se préparer à décro-
cher ou bien...

— Vous restez sur place, ordonna la voix
féminine. Vous demeurez vigilants. Rien de
changé avant que j'en donne l'ordre. Rien
n'est joué tant que nous n'aurons pas
confirmation de la libération de Pablo.

— OK, renvoya Fidel.

Il reposa l'appareil et s'étira. La position
était difficile à tenir, l'espace restreint et
l'ambiance à la haine. Mais c'était ainsi... lui
et les gars l'avaient voulu. Ils croyaient en
des choses...

*
* *

Lorice Atafa et Yasser Youssef n'avaient
pas quitté la terrasse de leur villa. Ou presque pas. De toute façon, l'un ou l'autre était

demeuré en faction près de l'attaché-case émetteur et du téléphone de la villa posé au hasard sur une chaise ou encore à même le sol dallé. Des reliefs de victuailles traînaient sur la table ronde de jardin et des bouteilles d'eau glaçaient dans un seau. C'est qu'il avait fait chaud. Et que même s'ils avaient entraîné leur cerveau à ne pas réagir humainement ils ne pouvaient néanmoins lutter contre le traumatisme de cette terrible journée. Jamais, jamais, ils n'avaient été à la base d'une telle tuerie ! Et dans un tel contexte !

La fumée de haschisch que fumait Yasser planait au-dessus de la table sur laquelle, près des assiettes, était posé le Parabellum du Palestinien. Celui-ci était nu-pieds. Ses spartiates de cuir étaient rangées du côté où la terrasse donnait sur le port de plaisance, où les attendaient Abon Vitof et ses hors-bord. Avec la chaleur, Yasser s'était débarrassé de son pantalon et n'avait conservé que sa chemise à fleurs qui pendait sur son caleçon court, bizarrement à fleurs, lui aussi. On le lui avait rapporté des States, il ne se souvenait plus qui ni à quelle occasion.

Lorice Atafa, elle, ne s'était pas changée. Elle avait conservé son jean retroussé aux mollets et son boléro de toile. La tension nerveuse, les drames se succédant, l'espérance pour elle d'apprendre la libération de son Pablo avaient installé entre eux une paix précaire. Mais pour bien lui préciser qu'elle se méfiait de ses assauts, elle avait un Mauser 7, 65 logé dans sa ceinture à même sa peau mate et nue. Et il n'ignorait pas qu'elle savait s'en servir.

— Tu crois à ce qu'a annoncé le haut-parleur ? disait-il en vissant une fois de plus une mince tige de haschisch dans une longue Camel.

Assise en tailleur à même le dallage près de l'attaché-case, l'œil sur les pastilles d'appel, elle hocha la tête en sa direction et de sa chevelure lourde et ondulée naturellement, s'échappa une odeur qui ne calmait pas l'envie qu'il avait d'elle. Au contraire.

— Si c'était vrai, je crois que le téléphone aurait sonné. Ton remplaçant devant la prison de Fresnes aurait repéré la sortie de Pablo.

— Ou n'aurait pas ? Et s'ils l'ont lâché en douce ? Par voiture cellulaire par exemple ?

— Et les journalistes ? Ils ne sont pas seulement ici, mais là-bas. Ils sont arrivés du monde entier et veulent savoir. On ne les leurre pas facilement eux. Si Pablo sort, ils le verront et le photographieront. Non ?

Le terroriste alluma sa Camel et aussitôt l'odeur un peu fade du haschisch troubla de nouveau l'atmosphère. Allongé sur un rocking-chair, Yasser l'épiait entre ses cils noirs, alors qu'elle enchaînait, logique :

— Si Pablo volait vers Alger, les autorités auraient été trop contentes de le laisser photographier et filmer. Cela pour nous obliger nous, à lever le siège. Or...

— Or rien... admit-il. Tu dois avoir raison.

Pablo n'est pas encore libre. Du moins on peut le croire.

— Mais il le sera, fit-elle avec une fougue contenue.

— T'as hâte qu'il te baise, hein femme ?

Elle ne rougit pas mais un flot de rage lui assaillit la gorge. Elle voulut lui répondre, abandonna l'attaché-case qu'elle fixait, pour le foudroyer du regard mais détourna aussitôt celui-ci. A dix mètres d'elle, toujours nonchalamment étendu sur le dos, les mains en amphore au-dessus de son crâne bouclé, Yasser, sous le caleçon à fleurs bandait. Il rit de sa gêne.

— Pourquoi ne regardes-tu pas ? Elle te fait peur ?

Elle sentit sa gorge se libérer, l'insulte prête à sortir mais une pastille s'alluma. Elle souleva le combiné, écouta et secoua sa jolie tête. A l'autre bout c'était Point 2. Julien Vergnaud, qui s'informait sur la valeur de ce message diffusé par haut-parleur. Elle lui répéta la même chose qu'à tous :

— Restez vigilants. Attendons confirmation. Ne rien changer au dispositif.

Elle reposa le combiné, le releva vite, car déjà Point 3, Patrice Voubié, voulait également savoir ce que signifiait ce message. Elle eut la même réponse que pour les précédents : Vigilance et dispositif maintenu. Il en fut de même pour Christian Marquette du Point 1 qui se savait cerné. Le jeune bourgeois, nullement affolé, efficace et décidé, debout près du FM, s'informait dans son émetteur-téléphone :

— Ce message par haut-parleur c'est quoi ? Une réalité ou...

— On sait pas encore, renvoyait la voix de la responsable de l'opération. On attend confirmation. En attendant la vigilance est de rigueur. Rien de changé au dispositif.

— Merci, se contenta de lâcher laconique le jeune fils de PDG.

Il allait raccrocher, la voix lui arriva encore :

— Tiens bon. On ne vous laissera pas. Comment va le blessé ?

— Il va plutôt bien, renseigna Christian Marquette. Merci.

Il raccrocha, jeta un œil au-delà du canon du FM, sur la plage qui lentement allait s'enfoncer dans une douce obscurité, puis revint à José Dual. Celui-ci était installé sur une chaise longue et semblait détendu. La douleur avait creusé ses traits, mais il encaissait bien. C'était un dur. Son flanc arrosé d'alcool par Christian Marquette ne le faisait souffrir que par intermittence.

— Ça va ? s'informa ce dernier.

L'œil sombre et triste du pistolero barbu se leva jusqu'à lui.

— *Bueno, hombre. Gracias.*

Marquette se ficha deux Marlboros entre les lèvres, les alluma et en plaça une dans la bouche du blessé. Puis, il retourna à son observation. De sa chaise longue, José Dual, un pistolet mitrailleur sur les genoux, guettait les bruits de l'escalier. Les autres le savaient là. Mais eux savaient que les flics ne pouvaient pas réagir. Pas encore. A moins qu'un ordre secret... Seulement, pour annihiler le FM il fallait pénétrer dans la pièce. Et à présent, celle-ci était condamnée par une lourde table et le PM de José. Et aussi et surtout par la menace du message diffusé par Fidel Juarez : cet Y qui avertissait d'un massacre général si les forces de police intervenaient en quelque point que ce fût contre les hommes des commandos.

Sa toute cousue aux lèvres, José Dual les jambes allongées, observait, tout en écoutant les bruits, le jeune bourgeois qu'il était chargé de couvrir. Drôle de chose, songeait-il, que les idéologies. Qui pouvait bien pousser ce type à se foutre dans un tel merdier ? D'après ce que José en devinait, le gars était plein aux as. Il avait de la classe, une existence tranquille, probablement une famille champion et pour une idée... Un truc qu'il s'était logé dans le crâne... Du moins c'est ce que José pressentait. Car, on ne lui avait rien dit. Ni les autres ni celui qu'il couvrait.

Il cracha un brin de tabac et empoigna la bouteille de cognac posée à son côté sur le parquet. Il but. Et rota. A ce bruit Christian Marquette se détourna. Il se fit cueillir par l'œil triste et pensif du pistolero qui leva la bouteille dans une invite. L'héritier du conservier en gros refusa et reprit sa faction. José Dual s'offrit une seconde rasade et rota encore. Christian Marquette ne se retourna pas.

CHAPITRE XI

La nuit était venue depuis peu. Le ciel restait mitigé : des étoiles par endroits, des nuages par d'autres. Une rumeur animée s'élevait de la plage, à croire que l'obscurité avait libéré les angoisses de certains. Peut-être aussi se sentaient-ils moins vulnérables car on ne pouvait les voir.

Bontemps, à la rambarde, faisait le point avec Marcel Lesombre. Non loin, ses gars, Pat en tête, bavardaient, leurs sacs anti-commandos à leurs pieds. C'est qu'à présent l'action allait pouvoir se déclencher. Les uns après les autres, les « points » des terroristes avaient été décelés grâce aux détecteurs, ces gadgets sophistiqués obtenus par Marcel Lesombre. Ils avaient été portés sur la carte de la ville et cernés discrètement par les forces de police. Aucun de ceux occupant ces points ne pouvait plus échapper. Mais, pour ça, il fallait agir synchro et éviter des morts inutiles par des réactions suicidaires. Ce que précisait Bontemps :

— En intervenant à la vitesse de l'éclair et

à la même seconde, on peut les nettoyer. Que dit le ministre ?

— Il est OK, rassura Lesombre. A condition qu'on ne loupe pas notre coup. Mais, j'ai peur qu'il y ait quand même quelques bavures.

— Hélas, soupira son ami. Je t'avoue que je préférerais qu'on colle ce Pablo dans un avion pour qu'on puisse laisser partir ces pauvres gens, quitte à sauter les tueurs après.

Son bras tendu dans la nuit désignait la plage.

— Jamais on n'a connu une situation pareille, poursuivit-il. Jamais dans aucun endroit au monde. C'est un truc de fous. Un truc à nous faire regretter les détournements d'avions.

— C'est vrai qu'ils y vont de plus en plus fort, concéda Lesombre auquel les heures épuisantes n'avaient pas réussi à entamer l'élégance racée. Et il a fallu que ça se produise chez nous.

Il hocha la tête, s'alluma une Gitane filtre, guigna Bontemps, pour voir s'il n'allait pas la lui arracher, enchaîna :

— Dans le fond, je ne voudrais pas être à la place du gouvernement. S'il cède au chantage, c'est la porte ouverte à toutes les menaces. Car aussitôt qu'on cravatera un lascar terroriste ou non on nous balancera un commando qui foutra la merde dans un coin quelconque et nous forcera à ouvrir les portes des prisons. C'est le monde à l'envers. A ce train-là, la société va nager en pleine

anarchie. Quant à nous, on n'aura plus qu'à
laisser courir et à tremper du fil dans l'eau.

— Parle pas de ça, gémit comiquement
Bontemps. Quand je pense que je devais aller relever des verveux...

Puis se secouant avant de se tourner vers
Legendre légèrement à l'écart :

— Legendre.

Au contraire des gens qui plus bas, sur la
plage parlaient haut pour se défouler, le
commissaire avait étouffé sa voix, comme si
la nuit l'y conviait. L'inspecteur principal se
détacha de la demi-pénombre de la promenade, où, sciemment, les lampadaires restaient éteints.

— Patron.

— Vous avez tout en main ? Les groupes
sont-ils prêts à agir ? Vous avez tout révéri-
fié, ainsi que je vous l'avais demandé ?

— Les groupes d'intervention sont parés,
patron. Ils n'attendent plus que vos ordres.

Il indiqua l'émetteur posé en équilibre sur
la rambarde devant Bontemps. Si la dépense
nerveuse, les soucis des énormes responsabi-
lités n'avaient pas dérangé l'élégance de Lesombre, pour Legendre il en était de même.
Son légendaire nœud papillon était toujours
en place et lui paraissait aussi frais qu'à son
arrivée.

— Parfait, fit Bontemps, qui, sur-le-champ,
se tourna sur Patrick Lemaître : Venez tous.

Les Antigangs s'avancèrent.

— Vous allez pouvoir commencer à vous
faufiler sur la plage, commanda Bontemps à

voix basse. Les uns après les autres. Et mollo, hein ? Et ne partez pas du même point. Eparpillez-vous. Quant à Pat, Bertrand et Tatave vous restez avec moi. Il ajouta pour Lesombre : Nous, on va s'occuper du couple de la pointe du Moulinet qui d'après les captages, semble driver toute l'opération.

Puis, au Corse et à Louis Cruséro qui comme tous, l'observaient :

— Toussaint et Louis, vous vous faufilez avec chacun trois hommes. Mais je vous le répète, dispersez-vous. Puis revenez tous vers le commando de la plage et encerclez-le lentement. Et surtout prudence ! Enfin...

Il inspecta sa montre de plongée qui luisait dans l'ombre.

— ... j'ai 20 heures 06. Réglez vos toquantes. Et à...

Il fixa Lesombre.

— Rien de changé ?

Le directeur adjoint de la PJ secoua la tête. Bontemps enchaîna :

— ... et à minuit et demi pile vous foncez et tirez. Mais attention ! Il y a, nous le savons à présent, des otages dans ces villas. Assurez au maximum leur sécurité.

— Et si on ne peut pas ? hasarda Villa.

Bontemps marqua une hésitation avant d'indiquer la plage où se mouvaient les ombres qui caquetaient.

— Vous êtes seuls juges. Ici, il y a des centaines et des centaines d'innocents. Souvenez-vous-en.

Tous se turent. Ils avaient compris. S'il le fallait, ils risquaient des vies pour en sauver d'autres plus nombreuses. C'était dur, atroce. Mais c'était la loi de la guerre. Ce fut Lesombre qui rompit le lourd silence malsain. Les laisser se poser trop de questions ne valait rien pour des hommes partant risquer leurs os. Il remarqua pour Toussaint et Louis Cruséro :

— Le délai imparti jusqu'à minuit trente vous laisse largement le temps d'achever l'encerclement du commando de la plage.

Le Corse eut un geste désinvolte.

— Ne crois pas que c'est trop, le releva Bontemps. Vous devez opérer lentement. Très lentement. Attention ! Il ne faut pas alerter les tueurs.

— Et commencez par vous mettre plus à l'aise, conseilla Marcel Lesombre. Même dans l'obscurité, tâchez de ressembler à des estivants pris au piège. Je crois que pour ça, il est préférable que vous abandonniez vos gilets pare-balles, trop encombrants.

Un chuchotement provenant de la gauche le fit s'interrompre. Les policiers repérèrent une masse qu'on hissait. Depuis qu'il faisait plus sombre, ils étaient quelques-uns à avoir osé se défiler et à prendre pied sur la promenade aidés par des CRS. Sans compter tous ceux et celles qu'on ne pouvait voir et qui se faufilaient vers les extrémités de la plage. Des bruits d'acier heurtant l'acier s'élevèrent dans le recoin où se tenaient les Antigangs. Des vêtements tombèrent au sol.

Puis Toussaint Barani et Louis Cruséro, suivis de six autres policiers commencèrent à se laisser couler sur le sable d'où ils s'éparpillèrent.

— Où qu'y vont ? interrogea une voix de gamin dans le noir.

— Qui c'est ça ? s'inquiéta une voix féminine.

Nul ne répondit. Sur la droite du côté de la piscine des exclamations de joie venaient de fuser. Fidel Juarez de son trou alerta Point 3 et fit donner son propre projecteur imité peu après par Point 3. *Tacata. Tacata.* Prises dans le croisement des projecteurs rotatifs que couplaient des dispositifs à infrarouges, des silhouettes s'aplatirent. D'autres coururent du côté de la mer. D'autres tentèrent de gagner le refuge de la promenade. *Tacata. Tacata.* Dans la nuit, les rafales semblaient encore plus impressionnantes, plus menaçantes. Mais, peut-être moins efficaces car personne ne semblait touché. Du moins, c'est ce que pensa sur le coup le groupe d'officiels figés sur place. Ils se trompaient. Des cris de douleur jaillirent soudain, soulignant qu'il y avait eu de la casse. Confirmation renforcée par des voix d'hommes appelant :

— Il n'y a pas de médecins parmi vous ?

De sa place Bontemps observa un instant la progression du Corse et de Cruséro. De ce côté ça semblait aller. Puis, il se prit d'inquiétude. Lentement, d'un mouvement tournant, Fidel Juarez balayait une partie de la plage de son projecteur puissant. A la même seconde, de tous les points repérés par détec-

teurs d'autres phares de projecteurs se dé-
voilant, se mirent à fouiller, qui la sortie
vers la mer, qui la sortie vers la promenade.

— Merde, sacra Bontemps. Ils sont drôlement outillés. Pourvu que mes gars ne restent pas cloués sur place.

Mais non. Le Corse en blouson et slip de
bain, une serviette au cou et un sac de plage
recelant son Spécial 38 et des grenades,
avançait nonchalamment en s'arrêtant de
temps à autre. A trente mètres de lui,
Louis Cruséro torse nu et en jean traînait lui
aussi un sac, se déplaçait pour ainsi dire sur
le cul, bavardant à gauche, bavardant à
droite, se plaignant du drame auquel ils se
trouvaient tous mêlés. Et comme une
fille s'étonnait de le voir avancer vers le
commando, au lieu de le fuir, il répliqua :

— Je suis d'*Ouest-France*. Je voudrais bien
avoir de quoi faire un papier. Mais, chut.

Complices, ses voisins se turent et il continua tout doucement vers son objectif, profitant des moments où les projecteurs fouil-
laient ailleurs. Plus lui et les autres policiers
avançaient vers le commando, plus ils
étaient heureux de voir que les terroristes
avaient fait le vide autour du rectangle délimité par les cordes. Ils les auraient ainsi
mieux à leur main et risqueraient moins
de toucher des innocents lorsqu'à minuit et
demi, il faudrait donner l'assaut.

Sur la promenade, le vieux Legendre, qui
ne voyait plus ses hommes, happa le poignet
d'une femme qui s'efforçait de monter.

— Vite, chuchota-t-il, l'enlevant en force, tout en surveillant les projecteurs qui se déplaçaient lentement, cherchant des victimes.

Il n'eut que le temps de la faire basculer de son côté. Déjà le pinceau blanc du projecteur du commando se fixait de leur côté. Puis ce dernier vira et s'attarda un moment sur Bontemps et Lesombre qui s'offraient à son aveuglante lumière. Mais eux étaient hors la ligne interdite. Ils ne risquaient rien. A moins que ces fous de terroristes... pourtant si pleins de sang-froid...

Tacata. Tacata. Une fois de plus, deux rafales courtes déchirèrent la nuit. Une nouvelle lumière blanche comme reliée au Point 1 avait surpris un minuscule bateau en caoutchouc et venait de l'arroser. Celui qui le montait s'en revenait en toute hâte vers la plage, pagayant comme un fou, encadré par une gerbe de balles. Mais, il ne fut pas touché. Parvenu au bord il lâcha tout, plongea dans le sable, s'y enfouit le nez et ne bougea plus. La lumière l'abandonna.

— Les fumiers de fumiers, grogna Bontemps. Ils sont partout. Ils voient tout.

Il lorgna sa montre, soupira.

— Vivement que tout ça...

Il n'acheva pas. Il enleva des doigts du grand Pat la cigarette tout allumée qu'il allait se pincer entre les lèvres et tira dessus. Le « Grand » ne broncha pas. Il se contenta d'en sortir une autre.

Et le temps coula sur les corps allongés ou assis sur le sable. A onze heures, un mi-

nuscule récepteur-émetteur posé sur la rambarde devant Bontemps clignota. Le commissaire le souleva et le porta à son oreille.
C'était Toussaint qui chuchotait :

— OK, patron. On est parés.

— Rien de changé, chuchota à son tour
Bontemps qui pourtant lui ne risquait pas
d'être entendu du commando. Attendez.
Bonne chance.

Et il replaça le minuscule récepteur devant lui sur le ciment qui avait conservé la
chaleur du jour.

A présent le reflux atteignait son maximum et on voyait la mer, on la devinait
plutôt, majestueuse et éternelle, indifférente
à la folie des hommes. En se retirant elle
avait laissé planer une odeur forte d'algues
et de grève mouillée.

— Barani est OK, prévint Bontemps vers
Lesombre qui venait de se porter à ses côtés
ainsi que pour le vieux principal qui ne le
quittait pour ainsi dire pas et qui au bout du
fil lui avait ramené le micro.

— Parfait, répliqua le directeur adjoint.
Nous avons agi comme prévu. Tu vas pouvoir diffuser. Le ministre vient de me le
confirmer.

Bontemps se retourna et chercha au-delà
de la pénombre pour découvrir le grand
caïd entouré de l'état-major. Eux non plus
ne baignaient pas dans la lumière. Selon les
instructions et pour faciliter d'éventuelles
fuites de ceux piégés sur la plage, tous les lampadaires électriques, toutes les fenêtres des

immeubles étaient plongées dans le noir total.

— Tu aurais dû dire au ministre qu'il se planque un peu mieux, murmura Bontemps. Il suffirait d'un projo et d'un cinglé pour que...

— Je lui en ai fait la remarque. Il m'a rétorqué que sa place était avec nous. A présent, vas-y.

L'As des Antigangs s'inquiéta une nouvelle fois près de Legendre en lui enlevant le micro.

— Tout est bien prêt, hein ? Les équipes sont prêtes ?

— Paré patron. J'ai vérifié pour la dernière fois il y a une demi-heure.

Alors Bontemps amena le micro à ses lèvres. Il prit sa respiration et lança d'une voix grave :

— Attention. Attention. Il s'agit d'un message à l'intention des commandos terroristes de la Lutte pour la Libération de L'homme.

Petit à petit, les quelques rumeurs qui sourdaient de l'immense plage balayée par les projecteurs cessèrent. Et la voix du célèbre commissaire déformée par le micro parut prendre encore plus d'ampleur.

— Ici le Commissaire Paul Bontemps de la Police Judiciaire de Paris.

Les mots se détachaient avec netteté et partaient rouler vers la mer, vers la masse grise de l'escorteur qui finissait par se confondre avec l'horizon.

— Je suis chargé de vous avertir que vos positions nous sont connues.

Les lumières crues et blafardes des puissants projecteurs semblèrent tout à coup avalées par la verdure d'où elles avaient jailli. Comme pour retrouver l'incognito. Mais c'était un réflexe inutile. Pour preuve Bontemps.

— Je vais les citer, enchaîna-t-il de la même intonation grave : Villa *Les Mouettes* entre la Pointe du Grouin et celle de la Malouine... Le Crystal-Hôtel. La villa située au-delà du Bassin des Enfants... La propriété *Mon Désir* située en retrait du chemin de Ronde de la Pointe du Moulinet. Et enfin, les responsables de l'opération qui se trouvent dans la villa *Rêve d'Armor* qui se dresse à l'extrême Pointe du Moulinet.

Bontemps laissa le silence s'abattre sur les estivants piégés dont beaucoup s'étaient levés abandonnant les trous de sable où ils s'étaient enfouis. Pour eux, une nouvelle espérance se dressait. Des exclamations de joie retentirent dans l'obscurité. Un homme alla jusqu'à crier :

— Ça y est ils les tiennent !

— On va être libérés plus vite alors ! lança une voix de femme à l'intonation cassée, peut-être par l'excès de tabac ou d'alcool.

Les cris étaient parvenus jusqu'aux policiers. Lesombre chuchota :

— Il faut les calmer. Qu'ils n'aillent pas s'imaginer que c'est arrrivé et qu'ils peuvent quitter la plage !

Déjà Bontemps affermissait le micro dans sa main et sa voix grimpa d'un ton.

— Je dois avertir les gens occupant la plage qu'ils ne doivent pas bouger. Il y va de l'intérêt de tous. Qu'ils nous fassent confiance. Nous nous occupons d'eux.

Puis, il laissa aux mots le temps de s'imprégner dans les crânes. D'où il était, il pouvait voir des silhouettes qui se laissaient choir sur le sable, leur enthousiasme douché. Il attendit un peu, lança cette fois l'avertissement aux terroristes :

— Je suis chargé de demander aux éléments terroristes de se rendre et d'éviter toute nouvelle effusion de sang.

Puis, il secoua le micro, cria à l'intention de ceux qu'ils avaient situés mais qu'ils ne connaissaient pas encore, ni de visage ni de nom. Même pas le chef du commando de la plage à qui manquait des doigts et dont il avait fait diffuser le signalement, mais ça n'avait rien donné encore.

— Rendez-vous ! Déposez vos armes et sortez tous mains sur la tête ! C'est la dernière et seule solution qui vous reste.

Il laissa encore aux phrases le temps de faire leur effet, puis reporta le micro à ses lèvres asséchées par une petite fièvre provenant peut-être de sa fatigue. Après tout, il était convalescent d'une blessure assez récente ! Il enchaîna :

— Au nom de l'humanité dont vous vous prévalez, ayez au moins ce geste. Songez à ces pauvres gens qui n'en peuvent plus d'avoir peur et qui aimeraient tant rentrer chez eux.

Il s'humecta les lèvres de la langue, pa-

tienta une minute, abaissa son œil bleu sur
sa montre de plongée avant d'annoncer
d'une voix claire, chaude, dénuée de toute
agressivité.

— Je vous laisse une demi-heure.

Puis, il tendit le micro à Legendre qui alla
le remettre dans le bureau des CRS.

*
* *

— Ainsi, ils nous ont repérés ! constata Yasser à haute voix, deux minutes après avoir
entendu le message de Bontemps.

— Ça devait arriver, renvoya Lorice Atafa.

Ils étaient toujours sur la terrasse,
n'avaient pas eu à la quitter car la nuit était
tiède, langoureuse. Du parc et des jardins
proches, s'élevaient des effluves capiteux
enrichis par l'odeur de la mer. La terroriste
ne s'était toujours pas changée sauf qu'elle
avait passé un polo rouge à col roulé à la
place de son boléro de toile bleue. Lui, était
resté tel quel : en caleçon à fleurs et torse nu.
Solide comme un rocher, il ne ressentait pas
les fraîcheurs nocturnes. Une cigarette US,
bourrée de haschisch, brûlait à ses grosses lèvres sensuelles. Son envie d'elle n'était pas
apaisée car il la couvait dans le noir qu'il perçait de ses yeux brûlants de désir. Elle avait
beau faire ! Pour parler dans le téléphone
portatif, boire, manger même sur le pouce, elle
avait du mal à éviter ses frôlements. Pour le
tenir en garde, elle avait ostensiblement logé sous son polo, le Mauser 7,65 à crosse plate.

— Ainsi ils nous ont repérés, regretta-t-il de nouveau.

Et il alla en bout de terrasse scruter l'obscurité du parc. Mais il ne vit rien. Les flics qui les avaient cernés connaissaient leur boulot. Il revint sur elle.

— Que vas-tu faire ? Appliquer le plan Z ?

— Bien entendu, dit-elle. Immédiatement même.

— On pourrait se défiler, proposa-t-il. En bas, Abou Vitof nous attend avec les bateaux.

— Et Pablo ? jeta-t-elle, les yeux noircis par une rage subite. Et Pablo lui ? Il va se défiler aussi ? Et les autres ? Fidel et les copains ? Ils vont pouvoir se défiler eux ?

Il ricana et ça parut sinistre dans l'obscurité.

— Ça va, ça va, dit-il pour la calmer. Applique le plan Z. Mais ça va être du pile ou face.

Elle ne l'écoutait plus, soulevait déjà le téléphone-émetteur dans lequel elle jetait aussitôt à Fidel Juarez :

— Diffusez plan Z et exigez en représailles cinq millions de dollars. Compris ?

— Enregistré, renvoya de son trou Fidel Juarez.

Puis la voix du terroriste, responsable du Point 5, le plus exposé, s'éleva peu après dans la nuit. Etait-ce la déformation causée par le mégaphone ? Elle était d'un calme à donner le frisson.

— Ici la Lutte pour la Libération de L'homme.

Tout s'apaisa soudainement sur la plage

immense et sur les environs. La voix de Fidel éclatait, froide, décidée :

— J'ai ordre de mettre en garde les forces de police de ce pays. Si elles donnent l'assaut contre nos positions...

Fidel Juarez savait également doser les effets. Il laissa sa phrase aller se perdre au loin, vers l'horizon où se profilait le bateau de guerre, trait horizontal épais sur le sombre de la nuit. Puis, il enchaîna :

— ... alors, *immédiatement*... je dis *immédiatement*... des charges d'explosifs déposées dans une colonie de vacances sauteront.

Une rumeur de peur s'éleva progressivement de la foule qui n'en pouvait plus.

— Nom de Dieu, jura Marcel Lesombre.

Bontemps le contempla bras coupés.

— Comme tu dis, soupira-t-il. Les tantes, ils ont tout prévu.

Puis il se tut. De son trou, là-bas, dans le noir, montait encore la voix du terroriste.

— Et ce sera le gouvernement de ce pays qui sera responsable de la mort de centaines d'enfants. Et ce n'est pas tout...

Bontemps et Lesombre se retournèrent pour faire face au groupe des officiels, mené par le ministre infatigable. Celui-ci d'emblée secoua les policiers :

— Il faut annuler immédiatement les ordres d'assaut !

Bontemps indiqua à ses côtés le vieux Legendre qui déjà appelait un par un les responsables des groupes cernant les points où se tenaient les tueurs.

— On s'en occupe, monsieur le ministre.

— Si encore nous pouvions découvrir de quelle colonie de vacances il s'agit ! se lamenta le chef de cabinet. Nous pourrions alors faire enlever ces explosifs et...

— Oui, mais combien y a-t-il de colonies en France ? le doucha Lesombre.

— Et combien de temps ça prendrait ? souligna Bontemps, logique.

— Vous ne croyez pas que ce peut être un coup de bluff ? hasarda le colonel en s'épongeant le front.

Nul n'eut le loisir de lui répondre. La voix du terroriste ensablé à même pas deux cents mètres d'eux s'élevait de nouveau dans la nuit :

— Autre chose ! Si vous persistez à vouloir donner l'assaut... A vouloir sacrifier la vie de centaines d'enfants, je dois vous avertir qu'ensuite...

Les mots allèrent se heurter à la façade du casino plongé lui aussi dans l'obscurité.

— ... c'est-à-dire demain, en plein jour... un cinéma sautera en France pendant la projection du film. Et si vous décidez de fermer les cinémas, c'est un hôpital qui sautera. Des explosifs sont partout en place.

Des haut-le-corps saisirent les officiels alors que la voix poursuivait :

— Ceci encore : Devant l'opinion mondiale, c'est le gouvernement de ce pays qui endossera la responsabilité de ce qui pourra survenir. Ou vous sacrifiez des vies ou vous nous rendez Pablo. A qui...

La voix se tut encore pour mesurer les
effets, puis :

— ... à qui vous confierez cinq millions de
dollars.

Les officiels parlèrent dans l'obscurité
complice, alors que la voix enchaînait :

— ... Ceci en représailles pour ne pas avoir
voulu composer plus tôt. Je répète : vous
confierez à Pablo cinq millions de dollars, en
guise de représailles. Puis, lorsque Pablo
sera en sécurité à Alger, pas avant, nous
quitterons la plage et les villas occupées. Et
ce n'est que quand tous les commandos seront en sécurité que des frères se chargeront
d'enlever les explosifs déposés à droite et à
gauche en France.

L'ultimatum parut flotter au-dessus des
têtes. Puis la voix conclut :

— J'ai terminé. Ici la Lutte pour la Libération de L'homme.

Et, du groupe des officiels aussitôt colères
et rancœurs de jaillir.

— Cinq millions de dollars ! Mais c'est du
pur banditisme !

— Si j'étais le gouvernement...

— Vous ne céderiez pas ?

— Vous laisseriez assassiner des centaines
d'enfants ?

— Mais si l'on cède à ces chantages
odieux...

— Si j'étais à la place des policiers, moi je
sais bien...

Côte à côte, solidaires, Bontemps et son
chef ne disaient mot. Ce n'était plus de leur

ressort. Ils n'intervinrent même pas lorsque le directeur de cabinet lança, répétant le soupçon du colonel de gendarmerie :

— Et si c'était du bluff ? Si les terroristes n'avaient pas pris toutes ces précautions sanglantes ?

Le ministre réagit vivement. D'une voix cassante :

— Oui, mais si cela était vrai ? S'ils ont vraiment poussé aussi loin leurs démoniaques précautions ? De toute façon je ne puis risquer une telle hypothèse. Je vais alerter le président. Il doit donner ordre de céder aux exigences des terroristes.

Plantant son monde là, il se dirigea vers sa voiture que gardait toujours un détachement de CRS. Il n'avait pas encore l'Elysée qu'une clameur et des lueurs dans son dos le firent se retourner. Incroyable ! Une fusée filait vers le ciel, explosait et une gerbe bleue éclatait, retombait en flèches rouges puis finissait par s'éteindre dans des étincelles jaunes. Puis, ce fut le tour d'une autre et encore d'une autre. Et chose insensée en de telles circonstances, pendant plus d'une heure ce fut la féerie, l'enchantement. Deux de l'équipe de Fidel Juarez, Victor le Parisien et Chi-Lu le Bridé allaient de cadre de bois en cadre de bois, allumant les feux de Bengale, les pétards, les fusées. Et le ciel ne cessait de s'illuminer de couleurs, les pétards d'éclater, les soleils, bleus, blancs, verts de tournoyer, les flèches rouges et jaunes de s'écarteler en toutes directions, les fusées de jaillir dans des éclatements multicolores.

Ahuris, certains même ravis, en arrivant à oublier leur position lamentable, les victimes du chantage pris en otages suivaient les yeux levés le fantastique feu d'artifice. Reporters de tout poil s'en payaient eux aussi. Ils filmaient, photographiaient. C'était de la démence ! Une telle idée ! En de telles circonstances ! De son trou, Fidel Juarez s'en était justifié près de la responsable de l'opération Pablo à l'aide de son émetteur-téléphone.

— Puisqu'ils avaient prévu un feu d'artifice et qu'il était là, prêt à servir, j'ai pensé... Sans compter que ça nous éclaire la plage et nous permet de mieux surveiller !

Lorice Atafa n'avait pas fait de commentaire. L'idée, après tout, en valait d'autres. Alors elle aussi, de sa terrasse, suivait les embrasements du ciel. Jusqu'aux cris d'admiration de la foule qui lui parvenaient. Car, curieusement, une partie de celle-ci en oubliait tout, pour flatter, critiquer, applaudir. Surtout les jeunes.

Revenu depuis longtemps près de son état-major, le ministre soupirait alors que le ciel était parsemé de corolles orange, rouges et bleues.

— On aura tout vu, ce soir. Même ça !

— C'était le feu d'artifice prévu pour honorer le souvenir de la libération de la ville, déclara le maire qui aurait bien voulu que les terroristes se trompent de plage.

— Je vois, fit l'homme politique. Mais

j'aimerais bien qu'il cesse. Il nous faut annoncer que Pablo sera libéré demain matin à
cinq heures et conduit immédiatement à
Orly. Le Président vient de me faire part de
sa décision.

— Libéré avec les cinq millions de dollars ? s'informa le Colonel.

— Avec la rançon exigée, acquiesça le Ministre.

Son directeur de cabinet s'approcha de lui
avec sollicitude.

— Monsieur le ministre, vous pourriez
songer à vous reposer ! A présent il semble
que les dés sont jetés.

Mais le responsable de la police française
refusa, mécontent qu'on lui fasse une telle
suggestion.

— Pas question. Je tiens à assister au dé-
nouement.

Et, pivotant de trois quarts vers Bontemps :

— Commissaire ! Aussitôt ce feu d'artifice
terminé je vous demanderai de diffuser la
nouvelle : à savoir que ce Pablo sera libéré à
cinq heures, puis conduit à Orly.

Bontemps faillit claquer les talons puis se
contint de justesse. Qu'est-ce qui lui prenait ? Evidemment l'homme était ministre
mais il n'en exigeait pas autant.

— Vos ordres seront exécutés, monsieur le
Ministre, se contenta-t-il de dire.

Puis, inclinant la tête, il se rendit vers le
bureau des CRS, laissant Marcel Lesombre
avec les officiels.

*
* *

Revenu à la rambarde en tirant le fil du micro, encadré par Legendre, Pat et quelques autres, il attendit que les pétarades multicolores s'effacent de la nuit. Ce fut long. Il était presque une heure quand le clou, un gigantesque soleil illumina en tournoyant dans le ciel, la mer, la foule et les forces de police. Et, de cet énorme disque d'or qui lançait des flèches se détacha soudain d'autres soleils, plus petits, de toutes les couleurs. Puis, de ceux-ci fusèrent d'autres flèches mais d'argent qui se fondirent dans la tiédeur de la nuit éclairant une dernière fois le commando de la plage, à moitié ensablé mais dont les canons des armes automatiques luirent un bref instant. Bontemps ne laissa pas les gens, saoulés de bruit et de couleurs, récupérer. Il lança, d'une voix que la fatigue commençait à érailler :

— Attention ! Attention ! Nous avons un message important à vous communiquer. Nous vous supplions de conserver tout votre sang-froid et de faire encore preuve de patience. Vous n'en avez plus pour très longtemps.

Il laissa déferler la rafale de hourras et d'interrogations criées dans le noir puis, enchaîna :

— Maintenant, je m'adresse aux membres de la Lutte pour la Libération de L'homme.

Il laissa de nouveau régner le silence, avant de poursuivre.

— Le Président de la République a donné des ordres pour que Pablo soit libéré à cinq heures, ce matin.

Une tornade de hourras plus puissants salua sa déclaration. Il marqua une nouvelle pause et reprit :

— Cette fois, la décision est définitive. Pablo sera conduit directement à Orly avec la somme exigée. A cinq heures trente une Caravelle, spécialement frétée, le conduira à Alger qui a accepté de recevoir le chef terroriste.

D'autres tornades, d'autres applaudissements frénétiques firent écho à sa voix.

— Quand on pense qu'on tient ces mecs, grommela le grand Pat. Qu'ils sont là... A notre pogne... Et qu'on doit...

— Boucle-la, intima Bontemps qui avait bouché l'orifice du micro.

Il retira sa paume avant de continuer.

— Nous demandons aux membres des commandos de la Lutte pour la Libération de L'homme de ne plus tirer. Ils ont gain de cause. Cela doit leur suffire.

Il laissa encore s'écouler un temps de silence. Puis, il voulut reprendre lorsque le phare d'un projecteur provenant du Point 2, celui tenu par Julien Vergnaud, se braqua sur le côté gauche. Trois détonations éclatèrent. Un homme qui venait d'enjamber un garde-fou menant à la sortie côté place Maréchal-Joffre s'effondra. Les doigts de Bontemps blanchirent sur la poignée du micro. Il cria presque dans celui-ci, ne pouvant se freiner :

— Ce meurtre inutile vous déshonore encore plus ! Vous avez gagné, obtenu ce que vous désiriez. Alors à quoi bon...

La colère le faisait trembler, lui si maître de ses nerfs d'habitude. Mais cette fois, il y avait tellement de morts... tellement pour rien ! Il secoua son micro, voulut reprendre, leur dire sa rage mais la voix de Fidel Juarez, qui à son tour venait d'éclairer son projecteur et l'en aveuglait, se fit entendre dans le mégaphone.

— La victime l'a cherché. Les ordres en ce qui concerne la plage de l'Ecluse ne sont pas levés.

Il s'exprimait froidement, posément, d'un ton neutre et dur :

— Ils ne le seront que lorsque nous saurons Pablo en sécurité et que nous aurons nous-mêmes commencé à embarquer. Pas avant. Si vous ne pouvez maîtriser les réactions de cette foule, tant pis pour vous.

Non loin de Bontemps, Tatave Charrière éclata :

— Nom de Dieu ! Mais c'est incroyable ! Et on est là comme des cons ! Comme des...

Réputé lui aussi pour son sang-froid, sa bonne humeur, il en bégayait de rage rentrée.

— ... Avec l'armement qu'on a ! Avec... avec...

— Ta gueule ! lui souffla le grand Pat. Ecoute plutôt.

— Autant que vous et plus que vous, nous déplorons ce qui s'est produit, reprenait Fidel Juarez. Mais nous vous avions mis en garde ! Et nous ne pouvons que constater ceci : si personne n'avait tenté de s'échapper il n'y aurait pas eu de morts. C'est tout.

Il éteignit soudainement son projecteur, la nuit et le silence retombèrent une fois de plus. Mais cela ne dura guère. Bontemps le rompit en lançant un avertissement dans le micro.

— Vous venez tous d'entendre la déclaration du terroriste. Alors, je vous réclame un peu de patience. Un peu de sagesse. N'accroissez pas le risque. Il ne s'agit plus que d'une question d'heures. Nous vous remercions de votre compréhension.

Et il passa le micro à Legendre en lui murmurant :

— Ne lâchez pas le dispositif. Que les hommes se tiennent prêts jusqu'au bout à agir. La situation peut évoluer dans un sens ou dans l'autre. On ne sait pas en réalité comment ça va finir. Moi, je me réserve de superviser ceux qui cernent le commando de la plage.

— Je vais y veiller patron, répliqua le vieux.

Il allait s'éloigner pour remettre le micro. Bontemps le retint.

— Ils ont parlé d'embarquer. Donc, c'est qu'ils veulent partir par la mer. Voyez donc du côté du port de plaisance, de l'autre côté de la Pointe du Moulinet. Que des hommes aillent y rôder. Certainement que les types y ont établi des contacts. Voyez ça, Legendre.

— Je m'en occupe à l'instant, patron, fit le vieux.

— Faites ça adroitement, recommanda encore Bontemps. Que vos gars n'interviennent pas, s'ils décèlent ces contacts. Rappelez-vous que nous ne pouvons agir... que les autres ont préparé leur sortie avec cette histoire d'explosifs et de colonie de vacances.

— Rassurez-vous, fit le vieil inspecteur principal. J'y songe aussi.

Il allait s'écarter pour transmettre les ordres et ranger le micro quand Bontemps le retint de nouveau.

— Vous et moi restons en liaison par émetteur et talkie. La situation peut évoluer. Soyons prêts.

Le vieux opina de la tête et s'éloigna.

— Pat, appela Bontemps, Tatave, Bertrand.

Les trois inspecteurs l'approchèrent.

— Avant l'aube on ira étudier la villa d'où partent les directives. Vous, vous avez vu et parlé au couple, cela peut nous aider. Selon vous ce sont des Arabes ?

— Il nous semble, hésita le colosse ardéchois. Lui, Pat, tenait un moment pour des Sud-Américains. Mais dans le fond...

— ... qu'est-ce que ça peut foutre ? lâcha Bontemps, achevant la phrase à la place du colosse. En tout cas, compris ? Restez à ma disposition. Ne vous éloignez pas.

Il arracha le Partagas que l'Ardéchois allait s'allumer, le porta à sa bouche et se mit à le mâchouiller.

— On peut vous rapporter un peu de jus, patron, proposa le grand Pat. Du tout frais. Ils en font chez les CRS.

— Pas de refus, accepta Bontemps en s'accoudant à la rambarde où il s'empara d'un minuscule émetteur qu'il manipula. Quand il perçut un déclic, il souffla :

— Toussaint ?

— Oui, lui renvoya-t-on aussi discrètement.

— Ne bronchez pas. Tout peut basculer. Bien compris ?

— *Bueno*, souffla le Corse qui, a plat ventre, à vingt-cinq mètres des terroristes, feignait de dormir le nez dans ses bras croisés. Contre son flanc il sentait le contact de son sac, bourré de grenades.

Il murmura encore dans son émetteur, ce qui souleva un peu de sable qui lui colla aux lèvres.

— On la pète ici. Même pas un coup de café.

— Tu veux que je t'envoie les filles du Crazy-Horse ? lui répliqua Bontemps. Avec des magnums de champagne millésimé.

Bontemps, à son oreille, perçut la réponse de son inspecteur : « Je préfère le Dom Pérignon, il est meilleur, les autres me foutent des ulcères. » Puis, un gloussement suivit étouffé par le sable.

Le commissaire esquissa un sourire, reposa son émetteur et, s'accoudant un peu plus, il se mit à contempler la mer devinée au loin, et qui bruissait en remontant vers la plage. Et son regard accrocha l'horizon où se tenait, toujours immobile et menaçante, la silhouette du bateau de guerre. Il était menaçant, oui ! Un chien de garde, oui ! Mais que pouvaient ses canons contre ces simples mots : « Si vous intervenez contre nous, une colonie de vacances sera pulvérisée avec les centaines d'enfants qui la composent » ? Sans compter qu'ils avaient aussi parlé d'un cinéma, d'un hôpital même... Les démons !

L'As des Antigangs soupira puis se remit à mâchonner le petit cigare. Quelle époque ! Nul ne pouvait être certain de rien. Pour faire osciller une société, faire s'écrouler des tabous, il suffisait maintenant d'une poignée d'hommes, décidés, prêts à tout. Et prêts à tout, ils l'étaient. Ils le prouvaient. Il cessa de penser, écouta. A ses pieds quelqu'un... Il se baissa, passa sous la rambarde, sentit qu'on s'agrippait à lui. Vite, il regarda vers la plage, vers le commando. Rien. Qui s'était ainsi faufilé jusqu'à lui ? Il empoigna un bras, fit un effort et amena sur la promenade un garçonnet d'une dizaine d'années, tout gigotant. Le gosse touchait à peine le sol, que du Point 3 la lumière d'un projecteur fouilla tout à coup de leur côté. Puis le phare s'éteignit. Et ce fut un autre, provenant de la gauche qui à son tour inspecta vers la mer.

— Occupe-toi du môme, lança Bontemps à Pat qui lui tendait un quart de café bouillant.

Et, son quart sur le rebord de la rambarde, il reprit sa faction vers l'eau bruissante.

CHAPITRE XII

Ecrasés, frigorifiés, anéantis, les gens s'efforçaient de dormir tant bien que mal. Beaucoup avaient creusé le sable pour s'y enfouir et se garder du froid. Et, avec l'aube qui allait bientôt pointer, la plage paraissait hérissée de châteaux de sable pour adultes. Les officiels attendaient dans leurs voitures, certains, à bout, somnolaient. CRS et gendarmes, eux, continuaient leur faction vigilante. Non loin de là, Pat en éclaireur venait de sauter le mur de la villa de la Pointe du Moulinet. Bontemps l'imita, suivi de près par le jeune Bertrand et Tatave Charrière. Des aiguilles de pin, du gravier, crissèrent sous leurs poids.

— Chut... fit Bontemps.

Et ils imitèrent Pat qui venait d'emprunter les pelouses gazonnées. Se faufilant entre les arbres, ils parvinrent à quelques pas de la terrasse où, à une porte-fenêtre close, une lumière brillait. Derrière les vitres un homme gesticulait. Bontemps et ses hommes rejoignirent le grand Pat qui alerta dans un murmure :

— C'est le mec qu'on a vu ce matin. Tu te souviens Tatave ? La fille, elle...

— Il faut savoir ce qu'ils disent, souffla Bontemps. Rapprochons-nous, Pat et moi. Toi Tatave va de l'autre côté, vers l'entrée, pour surveiller. Emmène Bertrand.

Sans commentaire, le colosse s'éloigna, courbé, un talkie walkie accroché à l'épaule, suivi de Bertrand. Rassuré, Bontemps, sur les espadrilles qu'il avait enfilées en même temps qu'un jean et un pull à col roulé bleu foncé, se glissa jusqu'au ras de la terrasse où Pat l'avait précédé. Des bribes de conversation leur parvinrent, étouffées.

— Je crois qu'on serait mieux là, fit Pat indiquant un parterre de fleurs qui, surélevé, pouvait être un bon poste d'observation. D'ici on voit que dalle.

Ils s'y rendirent, rampant à demi, cachés par une rangée de troènes. Là, lentement, Pat se redressa et observa devant lui, puis laissa tomber du bout des lèvres :

— OK. On les voit.

Bontemps se dressa à son tour. Il agissait souplement et lentement, comme lors des cours de commando de para où il avait servi. Là-bas, on lui avait appris à se déplacer, et à se confondre avec l'environnement.

— C'est elle ? souffla-t-il, fixant au-delà de la porte-fenêtre.

— Elle et le mec, renseigna Pat. Ceux qu'on a vus ce matin, ou plutôt hier. Mais merde qu'est-ce qu'ils foutent ?

Les deux hommes observèrent avec intensité ce qui se déroulait à quelque dix mètres d'eux.

Dans le living, à travers la porte-fenêtre que l'homme venait d'ouvrir en s'épongeant le front de la paume, ils pouvaient apercevoir Lorice Atafa assise sur un canapé devant une table basse, sur laquelle étaient posés l'attaché-case-téléphone et des tasses de café. Mais elle ne demeura pas en place. Elle se leva subitement, furieuse, belle à voir dans sa colère. Puis, la voix de l'homme trapu et fort leur arriva, rauque, chargée de passion :

— Tu crois que ça va finir comme ça ? Tu te dis : « Dès ce soir ou demain au plus tard j'aurai rejoint Pablo à Alger, et... »

— ... et, je lui dirai que tu es un porc, le coupa-t-elle. Il saura.

Lui, en caleçon à fleurs, les jambes torses, se mit à avancer sur elle, les bras écartés du corps.

— Il saura quoi ? gronda-t-il. Que je t'ai niquée ?

Il rit. Un rire sauvage d'homme fort et sûr de lui, de ce qu'il allait faire. Il poursuivit de la même intonation :

— Car je vais te niquer. Maintenant. Ici même. Sinon demain, quand on sera là-bas, je regretterais de ne pas t'avoir prise.

— Il n'y aura pas de demain pour toi, dit-elle. Demain Pablo te tuera.

— Alors, je n'irai pas là-bas, ricana-t-il.

— Que ce soit là-bas ou ailleurs, il te tuera ou te fera tuer. A partir de maintenant tu es mort, Yasser.

Et, elle recula car il continuait de marcher sur elle. Les deux Antigangs ne le voyaient plus que de trois quarts. Il progressait toujours, lentement, inexorablement, répétant, s'excitant avec les mots.

— Niquée que tu vas être Lorice. Par moi. Et enculée aussi par moi. Et là... quand je vais te la mettre...

Son rire explosa.

— ... car je vais te la mettre, femme. Où je t'ai dit. Et Pablo ni personne n'y peut rien. A moi, que tu vas appartenir. Par force.

— Il te tuera, répéta-t-elle, s'accrochant à cette idée.

— Mais non mon petit pigeon, railla-t-il. Non.

— Alors ce sera moi ! gronda-t-elle.

Elle amena à la lumière, dans sa main aux longs doigts bruns, le Mauser 7,65, à crosse plate. Il rit encore. Elle leva son arme. Il rit de plus belle, la déroutant, puis feignit de reculer avant de plonger sur elle. Alors, elle tira. Une fois. La balle laboura le gras du bras gauche de l'homme. Elle ne put redoubler. Il lui avait happé le poignet tout en la faisant basculer en arrière et il ne la lâchait plus. Il éructait des mots sans suite en arabe, puis en anglais et enfin en français. Tout ça sans se préoccuper du sang qui souillait sa chemise à fleurs ouverte sur son torse poilu.

— Chienne. Tu vas le payer.

Il leva le bras, la gifla d'un revers féroce. A moitié groggy, elle lâcha son 7,65 et tomba sur le divan. Il rit de nouveau, un rire dément, et gronda, de sa grosse bouche humide, de la folie dans le regard :

— A moi que tu vas être femme. T'entends belle salope à Pablo ? A Yasser que tu vas être, à Yasser.

Mais toujours à demi inconsciente elle ne réagit pas. Même pas lorsqu'il lui arracha son polo de laine rouge.

— Oh ! fit-il, admiratif devant la poitrine splendide livrée à son regard affamé.

Il y porta voracement les doigts, puis les lèvres. A côté de Bontemps, Pat bougea.

— On va pas laisser...

Le commissaire le retint. Sa voix était dure, implacable.

— Ne jouons pas les preux chevaliers. N'oublions pas qui ils sont. On est là pour entendre.

Et, il se tut, écœuré, s'écœurant lui-même. Mais nom de Dieu, ils n'étaient pas là pour faire de cadeaux. Dans le living, Yasser parcourait goulûment le corps en partie dénudé de la femme de Pablo. Et tout en l'embrassant et rassasiant ses lèvres, il achevait de la dévêtir, faisant coulisser le jean qu'il ôta et rejeta au loin. A présent, elle était nue, à part un slip minuscule qu'il déchira rageusement alors que des gouttes de sang voltigeaient autour d'eux.

— Je vais te niquer femme. Il fallait bien que ça arrive. Il fallait bien que Yasser... un jour...

Il se débarrassa de son caleçon à fleurs et s'agenouilla sur elle. Elle amorça un mouvement, peut-être pour se libérer ? Il l'empoigna à la gorge de sa main gauche et le sang coula sur le beau visage aux yeux à demi révulsés. Puis, il rit et s'abattit sur elle, l'écrasant de sa force en lâchant sa gorge. Alors, elle gémit, chercha de l'air et se cambra, voulant se libérer de sa bouche aux lèvres épaisses... de son torse poilu... de son membre avide qui... Il rit encore. Il aimait la violence, le sang, même le sien, la mort et le rire. Et celui-là était un rire énorme qui fit grincer les dents du grand Pat. Puis, elle cria. Il la tenait, la forçait de ses mains puissantes et de son sexe goulu. Elle chercha encore à se débattre et le mordit, étouffant son rire insultant. Cette fois il se fâcha. Il la frappa encore. A deux reprises. Elle ne s'évanouit pourtant pas. Piégée sous lui, elle se contenta de le fixer, en se rendant inerte. C'était comme une acceptation. Il le sentit, s'en glorifia.

— Allons, ça va mieux, femme. Tu as compris et c'est bien. Tu vas voir que tu vas être heureuse.

Et il la pénétra en force. Elle le subit sans baisser les yeux. Il alla et entra en elle lentement d'abord puis de plus en plus vite. Elle laissait faire, à croire qu'elle n'était plus concernée. Mais lui ne s'en dérangeait pas. Il la palpait. Il la tenait. Il la niquait. Et il se mettait soudain à gronder, dominant mal le plaisir qui grimpait de ses reins puissants où une toison noire et bouclée se trempait de sueur.

— Tu y diras encore à Pablo ? Hein, tu y diras encore, femme ?

— J'aime pas ça, grimaça Patrick Lemaître près de Bontemps.

— Moi non plus, confessa le commissaire. Mais je ne veux pas intervenir. N'oublie pas qui ils sont. Ce qu'ils ont fait ! Les morts qui...

La voix du terroriste qui montait d'un cran le fit se taire. Là-bas, sur la femme, l'homme haletait.

— Tu vois que tu y viens ! Tu vois que tu y diras rien à Pablo ! Tu vois que tu en voulais !

Et, sur la belle fille, son corps velu et fort se soulevait pour s'aplatir dans des cris rauques et sauvages.

— Belle salope ! criait-il, maintenant. Belle putain à Pablo. Tu lui diras rien, hein ? Non, ma toute féroce. Hein que tu lui diras pas, hein ? Hein, que tu prends du bonheur avec la bite à Yasser ? Hein que tu vas lui mentir à Pablo à présent que tu as connu Yasser ? Hein ma toute colombe ?

Et, il s'esclaffa tout en redressant le buste, gardant ses bras raidis, sa face luisante éloignée de la sienne, mais s'enfonçant en elle plus profondément à chaque coup de boutoir.

— Car tu sais mentir ma toute sauvage, lâcha-t-il soudain, sans cesser de la défoncer. La façon dont tu as combiné la menace...

cette fameuse idée de la colonie de vacances bourrée d'explosifs... ces cinémas et cet hôpital prêts à sauter...

Rran !... Rran !... Il ne freinait pas ses coups de reins et de par sa position dressée, il entrait plus loin en elle. Toujours plus loin. Et les mots scandaient la possession sauvage.

— Car tu sais mentir, femme. Comme personne. C'était une idée de génie de leur raconter ça.

Il se tint un moment au-dessus d'elle et gloussa alors que, le long de son bras raidi, le sang coulait toujours.

— C'est qu'ils y ont cru eux, les autorités, à ces menaces !

Il secoua sa tête noire faisant gicler de la sueur et rit de nouveau.

— Sacrée fille menteuse, va. Sacrée garce...

Puis, il s'abattit et rugit en s'enfonçant en elle. Il bougea, bougea... et enfin se laissa aller au plaisir. Un grondement de fauve s'échappa de son torse et il demeura sur elle, immobile, rassasié, victorieux.

— Sacré Vain Dieu ! s'était exclamé Pat. Vous avez entendu, patron.

— Oui ! avait soufflé le commissaire, transfiguré. Ainsi c'était bien du bluff. Le colonel avait raison. Ça change le problème.

Puis, il pencha les lèvres sur le talkie-walkie qu'il portait et qui venait de grésiller.

— Oui ? fit-il à voix basse.

— Patron, alerta Tatave l'Ardéchois. On a

entendu le coup de feu. Puis une femme est descendue en hâte. On l'a cravatée. Qu'est-ce qu'on fait ?

— Vous nous rejoignez avec elle dans le living, trancha Bontemps.

Et, arme au poing, il abandonna son refuge et sauta sur la terrasse que l'aube se mettait à lécher. Pat avec son Magnum 357 l'imita en criant :

— Vite patron. On dirait...

C'est que devant eux, le drame se nouait. S'étant enfin libérée de l'homme gorgé de plaisir, la femme venait de plonger sur son revolver tombé à l'extrémité du divan et se relevant elle faisait feu sans sommation, sans plus attendre. A demi agenouillé sur le divan, Yasser tituba, la main à sa poitrine, près du cœur. Bontemps se rua à travers la porte-fenêtre et cria :

— Police ! Lâchez votre arme !

La femme se retourna contre eux et tira de nouveau sans hésiter. L'As des Antigangs avait plongé, la devançant d'une demi-seconde mais sans riposter. Pat, lui, s'envola au-dessus de la table basse et culbuta sur la fille tout en lui tordant le poignet de sa main libre. Lui non plus ne tira pas. A quoi bon ? Il sentit sous lui le corps tiède, mais ne se troubla pas. Dans l'action, il ne faisait pas de cadeaux. Jamais. Il serra, serra le poignet fragile... le 7,65 tomba. Pat, alors, se releva, tenant la belle terroriste au bout de son redoutable Magnum.

— On ne bouge plus, menaça-t-il. Sinon...

Belle, sauvage, nue et impudique elle le défiait de ses yeux noirs luisants de rage. De sa main libre, le grand Antigang amena des menottes à la lumière. Dans le mouvement elles pirouettèrent et leur acier étincela.

— Laissez-moi au moins me vêtir ! essaya-t-elle.

Mais il ne l'écouta pas. Pour qu'elle mijote quelque chose ! Il alla même jusqu'à la menotter dans le dos ce qui fit saillir sa poitrine superbe. Elle renâcla, puis essaya une autre astuce :

— Si vous avez vu... vous savez qu'il faut que je me lave !

D'une bourrade, il l'expédia sur le divan.

— Vous connaissez la pilule, non ?

Puis, il lorgna du côté du commissaire. Celui-ci était penché sur le corps de Yasser.

— Il est mort, dit-il. Touché au cœur.

Avisant le pantalon de l'homme, lancé sur un pouf, il le fouilla, et ramena un *masbaha* (1).

— C'était bien un musulman, constata-t-il en agitant le chapelet d'ambre. Et vous ? jeta-t-il vers la belle femme nue. Vous êtes ?

Elle haussa des épaules méprisantes.

— Ce que vous désirez que je sois.

— Mais encore ?

Elle le fixa durement.

— Je n'ai rien à dire. Ou plutôt...

---

(1) Chapelet à 33, 66 ou 99 grains. Ceux-ci peuvent être en buis, ambre, or, argent etc. A l'origine, il servait à réciter les versets du Coran et à chaque grain on se devait de prononcer le nom d'Allah.

Un sourire retroussa ses lèvres faites pour l'amour, non pour la violence.

— Ou plutôt si vous ne me relâchez pas, demain ou aujourd'hui même des enfants mourront.

L'As des Antigangs sourit à son tour. Mais son regard bleu ne montrait pas de sympathie.

— Ne vous fatiguez pas. Nous avons entendu la vérité de sa part.

D'un mouvement du pied, il indiquait le corps de Yasser dont le sang souillait le tapis. Elle bondit en dépit des menottes qui lui tordaient les bras en arrière.

— Espèce de...

Pat la gifla. Elle rebondit en arrière. Et lui, Magnum au poing, pivota vivement vers la porte d'entrée. Tatave, une seconde après s'y encadra, tenant Léa par les poignets.

— C'est la bonne, répliqua-t-il. Du moins à ce qu'elle prétend.

Bontemps s'avisa que le jeune Bertrand se tenait en arrière, son 38 Spécial au poing. Il lui fit comprendre de ne pas s'énerver.

— Vous avez fouillé les lieux ?

— Oui, opina le colosse. Il n'y a personne d'autre.

Il fixa Bontemps avec une certaine gêne.

— J'ai bien entendu les coups de flingue. Mais, j'ai d'abord voulu m'assurer que personne ne pouvait nous prendre à revers.

— Ça va, le rassura Bontemps. Ce n'était pas sur nous qu'on tirait. Ou du moins on visait mal.

Il attrapa sur le sol le téléphone de la villa, réclama la mairie qui lui passa aussitôt Legendre. Il préférait ça au talkie.

— Legendre ? fit-il. On a annihilé le poste de commandement. Je laisse ici Tatave et Bertrand. Pat et moi nous rentrons. Faites silence sur tout ça. Et assurez-vous que le dispositif d'assaut est toujours prêt. J'arrive.

Il raccrocha, fit signe au colosse ardéchois :

— Je vous enverrai chercher. Mais ne bouge pas d'ici avant une demi-heure.

Il consulta sa montre. Il était 5 heures 45 du matin.

— Et ne réponds pas à cet appareil.

Il indiquait l'attaché-case-téléphone en enchaînant :

— Alors bien compris ? Tu ne bouges pas d'ici avant 6 heures 15, quoi qu'il arrive. Et tu surveilles cette femme et ne la laisses communiquer avec personne. Par ailleurs, tu es responsable de tout et de tous. Que personne, mais absolument personne à part nos gars, ne sache ce qui s'est passé et qui est entré ici. Vu ?

— Vu, fit le colosse qui ordonna alors qu'il raccompagnait Pat et Bontemps :

— Jacques, tu surveilles les femmes. Si elles bronchent tu tires.

Le jeune Bertrand acquiesça en silence. Peu après l'Ardéchois revint et se laissa choir sur un fauteuil face aux deux femmes. Il enregistra vite que la jolie fille nue avait maintenant un plaid à carreaux sur les genoux. Il fusilla Bertrand de l'œil, se releva, alla arracher le plaid bariolé pour s'assurer qu'elle ne dissimulait rien. Mais non. Il n'y avait que les cuisses superbes dont l'une, la gauche était, en haut, souillée de sperme séché et le bas-ventre à la chair tendre, que barrait un triangle sombre et frisé.

— Ça va, grommela-t-il en rejetant la couverture sur la nudité affolante.

Ensuite, il retourna s'asseoir dans le fauteuil où il s'alluma un Partagas sans cesser de poser sur la belle et sauvage terroriste un regard dénué de pitié.

CHAPITRE XIII

De la promenade du Palais des Congrès, avec le soleil qui commençait à régner, créditant une fois de plus la Bretagne d'un temps splendide, on s'apercevait mieux du désastre. Au pied de la rambarde qui dominait le sable de quelques mètres, ce n'était que visages fiévreux ou hagards, bouffis par un mauvais sommeil. Beaucoup frissonnaient avec le lever du jour. D'autres par contre, à croire qu'ils ne voulaient pas affronter la réalité, ne se décidaient pas à émerger des trous creusés où ils s'étaient enfouis de guerre lasse durant l'épuisante nuit.

La mer de nouveau en reflux laissait, en se retirant, une large bande de sable humide sur laquelle huit pédalos blancs et bleus paraissaient incongrus, dérisoires, inutiles. Au-delà de la saignée délimitant la plage elle-même, le bateau de guerre gris veillait toujours, dangereux, comme impavide. Quant aux garde-côtes et vedettes des douanes, ils allaient et venaient, semblant inspecter les criques et rochers bordant la plage sur la gauche jusqu'à la pointe des Etêtés.

Bontemps scrutait les mouvements sur la plage, son ventre à toucher la rambarde de ciment. Il attendait que Marcel Lesombre, à qui il avait fait son rapport, l'appelle pour connaître la décision du ministre qui avait passé la nuit entre sa voiture et les officiels. Tout en observant à la jumelle la position du commando tapi dans son trou et protégé par un remblai de sable, il laissa choir à l'intention du grand Pat :

— Comme tu peux le voir, ils sont cinq. Alors tu prendras celui du centre.

— Au fusil télescopique, pas de problème.

— Bon. Alors tu vas te faufiler dans le casino et te rendre invisible.

— Il doit toujours y avoir les gars de la gendarmerie !

— Justement. Plus vous serez à tuer moins ils auront de chances de pouvoir réagir. En principe toi tu devrais le lessiver dès la première balle. Non ?

Pat évalua la distance des fenêtres du casino à la position des terroristes nettement repérable avec le jour. Il n'hésita pas.

— Dans la poche, laissa-t-il tomber, sûr de son adresse.

— Parfait, fit Bontemps. Toi, Tatave...

— Hum, se mit à toussoter celui-ci.

— Quoi, hum ? s'énerva l'As des Antigangs. Qu'est-ce que t'as...

Puis, il nota la direction du regard de son inspecteur, se retourna et comprit. C'était le ministre qui venait sur eux accompagné de Lesombre, du colonel de gendarmerie et du commandant de CRS. L'Excellence ne s'était pas rasée non plus. Mais l'homme semblait en forme. Il attaqua sur-le-champ, gommant toute formule de politesse :

— Commissaire, monsieur Lesombre m'annonce que vous avez la possibilité de donner l'assaut. Qu'à présent nous sommes à l'abri de l'escalade des terroristes ?

Bontemps machinalement palpa les jumelles qui pendaient de son cou, et dont le noir se confondait avec le bleu foncé de son chandail.

— Exact, monsieur le ministre. J'en ai eu des preuves formelles et en ai fait part dès mon retour, il y a cinq minutes, à mon directeur. Ces menaces sont un bluff monumental.

Il tourna le cou vers le colonel et les jumelles oscillèrent.

— Vous aviez raison mon colonel. Ce n'était qu'un coup d'esbrouffe monstrueux.

— Mais génial, remarqua l'officier supérieur qui lui, miracle, offrait un visage rose et frais.

Probablement possédait-il un rasoir à pile dans sa voiture !

— Et qui aurait pu prendre, enchaîna le ministre. Car comment aurions-nous pu prévoir que ce n'était que du bluff ? D'autant que nous savons qu'avec ces gens tout est possible. Même le pire. En tout cas...

Son œil vif alla de Bontemps au commando.

— ... si vous êtes certain de vous et de vos hommes, je vous donne le feu vert. Je vous couvre. Mais avant vous devez savoir...

Il revint à Bontemps qu'il fixa durement.

— ... que si vous vous êtes trompé dans vos estimations... que s'il y a encore d'innocentes victimes... vous savez ce qui se produira ?

Il n'attendait pas de réponse. Il enchaîna d'un ton sec :

— Je saute et vous avec.

Il leva une main autoritaire pour devancer toute remarque.

— Néanmoins, je suis prêt à courir ce risque. Et je ne vais pas avertir le président. Je ne le ferai qu'après. Je joue ma carrière. Mais je pense devoir le faire. Ces drames épouvantables de prises d'otages sous le couvert d'idéologies politiques n'ont que trop duré. Plus nous cédons, plus nous ouvrons la porte aux escalades et à l'anarchie.

Il se tut, parcourut du regard les hommes de Bontemps, Legendre, Pat, Tatave et quelques autres, revint à Bontemps, le sonda deux, trois secondes puis lança avant de pivoter sur ses talons :

— Bonne chance, commissaire.

Bontemps fit un pas dans sa direction.

— Monsieur le ministre ?

L'Excellence se retourna agacé.

— Quoi, encore ?

— Je suggère de faire intercepter l'avion de Pablo qui en ce moment doit voler vers Alger.

La face austère de l'homme politique s'éclaira.

— L'idée est bonne. J'agis en ce sens immédiatement.

Et il repartit vers les voitures noires que gardaient les CRS en armes. Aussitôt, Bontemps attrapa le bras de son inspecteur principal.

— Legendre, vous alertez les responsables du dispositif d'encerclement. Vérifiez vos montres, assurez-vous qu'elles sont toujours axées sur la mienne. L'heure H sera...

Il leva son poignet où brillait la grosse montre de plongée.

— Six heures quinze. Et...

Il s'interrompit de nouveau.

— Une seconde.

Il marcha sur son chef direct, le commissaire divisionnaire, Raymond Tavernier qui, alerté en mer, arrivait à l'ultime minute. Marcel Lesombre l'avait devancé. Il les laissa se serrer la main, puis libéra son ami.

— Ne perds pas de temps. Je mets le divisionnaire au courant. Va.

Bontemps ne se fit pas prier. Le temps était effectivement mesuré. Sur la plage les gens étaient à bout. Il suffisait d'un incident, d'un geste mal interprété pour redéclencher un massacre. Il croisa le regard du grand Pat qui gagnait le casino, un long étui de cuir sous le bras. Il lui jeta, soucieux :

— N'oublie pas ! Six heures quinze, pile. D'ailleurs... Front creusé, il ajouta : ... je vais réclamer qu'on lance un coup de sirène juste à cet instant-là. Pour renforcer l'ordre d'opérer. Vu ?

Le « Grand » se contenta d'agiter sa main libre et disparut. Bontemps revint à Legendre, lui fit part d'annoncer aux responsables du dispositif qu'une sirène retentirait à six heures quinze. Puis après avoir tâté machinalement du coude la crosse de son 38 logé sous son gros pull bleu, il prit ses jumelles, les braqua vers le commando et chercha Barani. Il le reconnut presque aussitôt. Toujours sur le ventre, le Corse paraissait dormir. Bontemps grogna. Au fait, le Corse dormait-il vraiment ? Il aurait eu des excuses. Une telle veille ! Le commissaire manipula son émetteur gadget, siffla doucement dedans. On lui répondit de la même façon. Rassuré, il murmura :

— Toussaint ? C'est pour six heures quinze. Une sirène renforcera l'ordre d'attaque. Ne vous inquiétez pas du centre. C'est pour nous. Alerte ton groupe. Moi, je me charge de Cruséro. Compris ?

Le nez dans le sable, sa face aux yeux noirs et décidés, dissimulée par ses bras réunis en demi-cercle, le Corse rassura :

— OK, patron !

— Alors, merde ! renvoya Bontemps.

Il agit de même pour Louis Cruséro qui au-delà du rectangle délimité par les cordes avait durant la nuit opéré avec les trois gars de son groupe une manœuvre d'encerclement. Louis Cruséro non plus ne dormait pas. Comme Toussaint et ceux de leur brigade, il avait l'esprit de la chasse dans le sang. Il rassura, lui aussi à plat ventre, un œil vers la mer, l'autre vers le commando dont une trentaine de mètres le séparaient.

— Bien compris patron.

Bontemps lui renouvella l'encouragement :

— Merde, pour vous tous.

Puis il abaissa le regard sur sa montre : six heures 02. Encore treize minutes et... La partie était énorme. Il ne fallait pas commettre le moindre impair. L'attaque devait être synchronisée, sinon... L'un des tueurs réagirait, serait à même de balayer la plage de son FM et ferait un carnage. Pour Bontemps cette hypothèse n'était pas exclue. Au contraire. Il prenait les terroristes pour des suicidaires. Et la formule fameuse du non moins fameux chef opérationnel des Antigangs était : « On ne peut rien contre des suicidaires. Sauf les tuer. »

Au loin, la ville se remettait à vivre. Bruits de voitures et rumeurs parvenaient jusqu'à l'immense plage silencieuse, qui espérait, attendait... Au-delà des barrières mobiles disposées par les CRS et gendarmes, une autre foule d'amis, de parents et de curieux, difficilement contenue, criait à mort. Beaucoup d'entre eux avaient passé la nuit attirés, envoûtés, par le drame qui n'avait pas de précédent dans l'histoire du monde.

— Il est temps que ça finisse, remarqua Legendre qui avait repris contact avec les chefs de groupes du dispositif et avait aussi

obtenu de la mairie qu'une sirène se déclen-
chât à six heures quinze précises.

Et imitant Bontemps, il se mit à compter
en minutes : 6 heures 06... 07... 10... 11...
14... Puis en secondes : 50... 40... 30... 15...
10... 3... 2...

Une sirène déchira brusquement l'air et le *tacata* des armes automatiques, le miaulement
des balles, l'explosion de grenades achevèrent
de perturber l'atmosphère. Mais Bontemps
n'écoutait pas. Dès le départ de la sirène, il
s'était enlevé au-dessus de la rambarde,
s'était reçu en souplesse et fonçait vers
Toussaint, 38 au poing, courbé en deux.

Fidel Juarez n'avait pas vu venir la fin de
son destin. Pat qui le tenait dans sa lunette
de visée appuya au dixième de seconde sur
la détente de son fusil de précision. La balle
fit mouche, troua le front du terroriste. Pas
pour rien que le grand policier était le crack
tireur de la police judiciaire ! A l'instant où
Fidel mourait, Toussaint Barani balançait
une grenade offensive à éclatement réduit au
centre du dispositif tandis que les trois gars
de son groupe mitraillaient, en bondissant,
les deux guetteurs situés dans leur orbite. De
l'autre côté, Louis Cruséro et ses hommes
réagirent de même. Avec la même détermi-
nation folle. Et en fonçant debout, tirant
arme à la hanche, s'offrant aux rafales des
tueurs, préférant ça au risque de voir ceux-ci
s'en prendre encore une fois à la foule terro-
risée. L'un des gars de Cruséro dégusta. En
plein ventre. Mais il ne stoppa pas. Il pour-

suivit sa ruée, soutenu par l'action, s'enleva, atterrit sur Chi-Lu, le fusilla à bout portant de son pistolet mitrailleur. Il ne sentit même pas les balles que le Bridé, avant de mourir, lui expédia en pleine face. Et, quand il s'écroula, les doigts crispés sur son arme, il était mort. Il ne vit donc pas Bontemps plonger au-dessus des cadavres et retomber sur le dos de Fidel Juarez dont le crâne était rouge de sang. En un éclair, l'As des Antigangs s'assura du succès, repéra son inspecteur abattu. Autour de lui, ses hommes vérifiaient que les cinq terroristes étaient bien morts. Ils l'étaient, déchiquetés par les grenades, labourés par les balles. Il alerta Toussaint et Cruséro.

— Occupez-vous de tout. Evitez la panique. Les infirmiers arrivent. Dégagez ça.

C'était vrai. Les infirmiers qui avaient ordre d'attendre la fin de l'assaut se ruaient avec des brancards, alors que des infirmières et des secouristes mobilisées allaient déjà d'un groupe à l'autre des estivants, les réconfortant, les conseillant, et leur indiquant, si elles ne les accompagnaient pas elles-mêmes, les pentes conduisant à la promenade. A la sortie. A la vie.

En quelques bonds, l'As des Antigangs retourna près de Legendre.

— Alors ? s'inquiéta-t-il.

Les Points 1 et 2 sont tombés déclara le vieux policier. Reste les...

Bontemps vivement tourna son attention vers le côté droit de la plage, là où il savait que s'y tenaient d'autres terroristes et d'où venaient d'éclater des coups de feu spasmodiques. Il sacra, lança un ordre vers le grand Pat, arrivé en courant de son poste de tir.

— Une voiture. Vite. On fonce là-bas.

Pat, une minute après, cueillait le commissaire en voltige. Les officiels voulurent savoir. Mais l'As, les ignorant, commanda, dents serrées :

— Fonce, t'occupe !

Au loin, retentissaient d'autres détonations. Mais toujours en un tir spasmodique. Par rafales sèches et courtes. En tout cas, une chose certaine : ce n'était pas la plage qui était visée.

Se faufilant, la jeep tangua sur la promenade au milieu du bruit de clameurs et d'ordres jetés par les CRS qui colmataient la foule libérée. Pat, littéralement, enleva le véhicule jusqu'à la place Joffre, puis virant à angle droit dans un hurlement de pneus il fila vers la Pointe du Moulinet, forçant les barrages qui s'ouvraient miraculeusement à la dernière seconde. En quelques minutes ils atteignirent la villa *Mon Désir*, la seule qui résistait encore d'après les coups de feu entendus et les messages captés au talkie. La jeep pila devant un perron à côté d'une jeep-radio de la gendarmerie. Près de sa voiture, un gendarme debout donnait des indications par téléphone-radio. Non loin de lui, se tenait un rouquin mince et triste; un des gars de Bontemps qui lui lança en se propulsant

de sa propre jeep, imité par Pat qui portait
son étui à fusil télescopique :

— Alors ?

— On en a eu deux, expliqua l'Antigang.
Un homme et une femme. Ils sont en bas
dans le living. Morts. Mais un troisième s'est
barricadé en haut et menace d'arroser la
plage.

— Les otages ?

La voix du commissaire s'était légèrement
fêlée d'inquiétude. Le rouquin le fixa et rassura :

— Eux, ça va. Sauf le fils, un grand mec
vaillant qui a morflé à la cuisse. Mais rien de
grave. On l'a déjà fait transporter.

— Où est le zèbre en question ?

Le rouquin entraîna son chef sur le devant de la villa, côté terrasse d'où se distin-
guait la mer. Il leva le bras.

— Là-haut ? A l'œil-de-bœuf. Il...

Puis, repérant une tête qui apparaissait le
temps d'un éclair, il se plaqua contre la façade, imité aussitôt par Bontemps et le
grand Pat.

— Les nôtres ? jeta brièvement le commissaire.

— Ils bloquent l'autre côté, vers la sortie. On attend du renfort. Est-ce qu'on demande à la brigade des gaz...

Bontemps leva les yeux, inspecta la façade, secoua sa tête où les yeux luisaient de
fièvre, dans un visage balafré par les rides de
la fatigue et de la tension nerveuse.

— Inutile. On va se le faire nous-mêmes. Va

chercher trois de tes copains. Vous allez le harceler par l'escalier. Nous...

— Vous voulez dire nous, coupa le grand Pat qui glissait son Magnum 347 dans sa ceinture de jean.

Bontemps lui décocha un nouveau regard puis ajouta à l'intention du rouquin :

— File. Et ne vous offrez pas en cible, face à la porte. Plaquez-vous contre le mur, encadrez-la et ensuite parlementez. Offrez-lui la vie sauve à condition qu'il se rende. Bref, baratinez, baratinez.

Le rouquin amorçait sa course, il le retint.

— Ne tirez que lorsque vous entendrez un coup de feu. Mais à ce signal, feu à tuer à travers la porte. Maintenant file.

L'homme se rua, Bontemps freina l'impatience du grand Pat qui indiquait la façade :

— Je sais ce que tu veux. Mais avant, monte-moi ton fusil et attends que je sois posté. Je vais me mettre...

Il chercha autour d'eux le meilleur endroit, crut l'avoir trouvé, indiqua à vingt mètres d'eux un mélèze qui, parmi d'autres, faisait face à la villa.

— Je vais me planquer là et te couvrir. Tu crois que tu pourras... C'est que...

— Ça ira, rassura le « Grand », occupé à dégager le fusil à lunette de l'étui.

Il le monta en deux secondes, le tendit au commissaire qui l'arma et sans un mot de plus se dirigea vers le mélèze. Sur place, il s'aperçut qu'il avait bien estimé la position.

D'où il était, il avait à présent l'œil-de-bœuf dans sa lunette de visée. Pat, qui toujours plaqué à la façade venait d'empocher une grenade défensive, les plus meurtrières par leurs éclats, agita la main et lentement, avec une souplesse et une sûreté étonnantes, il se mit à s'élever le long de la façade blanche que commençait à chauffer le soleil.

Bontemps, bien dissimulé, ajustait l'œil-de-bœuf où pour le moment, rien ne se montrait. Minutieusement, il avait calé en appui le canon du fusil entre deux branches souples. Et il attendit. Devant son regard ou presque, le grand Pat progressait, agile, adroit, s'agrippant du bout des doigts aux nervures de la construction. Heureusement que ce n'était pas trop haut. Néanmoins, il fallait sa jeunesse et son cran pour tenter cette escalade. Avait-il fait du bruit ? Le glissement souple de son ventre sur la pierre s'était-il répercuté jusqu'à la pièce à l'œil-de-bœuf ? En tout cas, le canon d'une arme automatique, que Bontemps n'avait pas encore décelée se déplaça et un visage rond et rosé surmonté de cheveux blond foncé apparut Ce fut fugace. Aussi fugace que pour le rouquin. L'As des Antigangs se retint d'appuyer sur la détente du flingot de précision. Il ne s'en était fallu que d'un centième de seconde. Pat, lui, par réflexe ou par divination, s'était plaqué contre le mur blanc que continuait à lécher le soleil.

— Merde, jura Bontemps. Il est tout jeune. Et c'est sûrement un Européen.

Puis, il s'en voulut de s'être fait cette remarque. Ces types étaient tous jeunes. Et
tous gonflés. Qu'ils soient européens ou non,
ça ne changeait rien. C'étaient des illuminés.
Des dangereux. Fortement plus coriaces que
les truands. Mais il est vrai qu'ils avaient
des motivations, qu'ils croyaient nobles
alors que les malfrats, eux...

Bontemps guetta une réapparition avec
intensité. Tout compte fait, il préférait avoir
affaire aux voyous. Au moins, avec ces derniers on savait où on en était. Ils étaient en
marge, étaient les rebuts de la société.
Tandis que ceux-ci... ces terroristes... avec
leurs combats aux objectifs mal définis qui
enveloppaient des brumes vagues, utopiques... De toute façon puisqu'ils foutaient la
merde, ils fallaient qu'ils assument. Celui-ci,
là-haut derrière son œil-de-bœuf, allait devoir assumer. Avant une heure, il serait
mort. Liquidé. Anéanti. Déchiqueté.

Un carré de Zan sur la langue, le fameux
policier attendit avec une sorte de passion
malsaine, le moment où... de son index...

A présent, le grand Pat n'était plus qu'à
un mètre de l'œil-de-bœuf. Encore un mètre
et... Même pas. Déjà, le « Grand » avait
grimpé 40 centimètres. En appui précaire, les
pointes de ses espadrilles incrustées dans une
nervure, ses doigts crispés dans une autre plus
haut, plaqué contre la façade, il reprenait
souffle. Pas longtemps. Déjà, Bontemps
l'apercevait prendre la grenade, la dégoupil-
ler avec les dents. C'était l'instant attendu.

Rapide, Bontemps affermit son fusil et tira. En plein dans l'œil-de-bœuf. Un cri retentit. Puis la face ronde et rose apparut mais pour s'évanouir aussi vite car une pétarade provenant de la maison, s'élevait, drue et nourrie. Bontemps qui sacrait de ne pas avoir pu tirer encore cette fois soupira ! Allons, le rouquin et les autres allumaient comme convenu !

Pat, lui, profita de la diversion. Ses doigts de la main droite agrippèrent la nervure, ses cuisses, son ventre épousant la pierre, il balança son bras gauche et... *Cra*... *ac*... *ac*! La grenade projetée d'une main experte venait d'éclater à l'intérieur de la pièce où se tenait le terroriste. Un hurlement retentit et la face ronde émergea encore, mais rouge de sang. Cette fois, elle ne s'écarta pas. Comme si les yeux voulaient voir une dernière fois le parc, la mer, le soleil, la vie. Le commissaire eut le temps devant lui. Il encadra dans sa visée la face sanglante et... sa balle frappa en plein centre, légèrement sous le nez. L'homme oscilla puis bascula en avant, poussant dans sa chute le canon du FM, de son ventre.

— Ça va, Pat ? cria Bontemps.

Puis, un fracas retentit, suivi d'une salve et le rouquin cria à son tour en se montrant à l'œil-de-bœuf.

— Ne tirez plus !

Puis, penché au-dessus du corps du terroriste, il aperçut le « Grand ».

— Donne ta patte, dit-il en dégageant le cadavre.

Et, maintenu à la taille par les copains qui avaient pénétré en force à sa suite, s'arc-boutant, il amena le grand Pat à lui et le fit passer cul par-dessus tête, à l'intérieur.

Bontemps poussa un soupir. Il abandonna le mélèze d'où avaient fui les oiseaux, leva les yeux vers le ciel, repéra des mouettes qui planaient, les suivit dans leurs évolutions, entendit à peine un de ses hommes jaillir d'une jeep, qui criait de loin.

— Patron ! Le directeur, monsieur Lesombre vous fait dire que l'avion de Pablo a été intercepté par la chasse et qu'il s'est posé à Nîmes.

L'As des Antigangs avait-il entendu ? En tout cas, il ne broncha pas. Tête levée, il observait toujours le vol gracieux des mouettes qui le ramenait à la plage de Lingreville, là où enfant, il avait appris à aimer la mer, la paix, la propreté, la solitude.

El Capistrano
Nêra
Province de Malaga
Espagne
Août à octobre 1977.

OUVRAGES D'AUGUSTE LE BRETON

CHEZ PLON — PRESSES POCKET

LES HAUTS MURS
LA LOI DES RUES *(porté à l'écran)*
LES JEUNES VOYOUS
LES TRICARDS
RAFLES SUR LA VILLE
RAFLES SUR LA VILLE *(porté à l'écran)*
PRIEZ POUR NOUS
LES MAQ'S
LES RACKETTERS
RIFIFI CHEZ LES FEMMES *(porté à l'écran)*
RIFIFI A PANAME — Face au syndicat du crime *(porté à l'écran)*
RIFIFI A NEW YORK — Pour 20 milliards de diamants
RIFIFI DERRIERE LE RIDEAU DE FER — Le soleil de Prague
RIFIFI A BARCELONE — Toreros et truands
RIFIFI AU BRÉSIL — Escadron de la mort
RIFIFI A HONG-KONG — Sociétés secrètes criminelles
RIFIFI AU CAMBODGE — Opium sur Angkor-Vat
RIFIFI AU MEXIQUE — Chez Cuanthémoc, empereur aztèque
RIFIFI EN ARGENTINE — Où souffle le pampero
RIFIFI AU CANADA — Le Bouncer
BRIGADE ANTI-GANGS *(porté à l'écran)*
LE CLAN DES SICILIENS *(porté à l'écran)*
DU VENT... (poèmes)
ROUGES ÉTAIENT LES ÉMERAUDES
LE TUEUR A LA UNE
L'ARGOT CHEZ LES VRAIS DE VRAIS (dictionnaire)
LES BOURLINGUEURS

A LA N.R.F.

DU RIFIFI CHEZ LES HOMMES *(porté à l'écran)*
RAZZIA SUR LA CHNOUF *(porté à l'écran)*
LE ROUGE EST MIS *(porté à l'écran)*

CHEZ ROBERT LAFFONT

MALFRATS AND CO (biographie)
LES PEGRIOTS (fresque)

A LA TABLE RONDE

MONSIEUR RIFIFI (biographie)

AUX ÉDITIONS PYGMALION

AVENTURES SOUS LES TROPIQUES

IMPRIMÉ EN FRANCE PAR BRODARD ET TAUPIN
7, bd Romain-Rolland - Montrouge.
Usine de La Flèche, le 01-03-1978.
1466-5 N° d'Editeur 10400, 1er trimestre 1978.